Josh.

Chiara Valerio

La matematica
è politica

Giulio Einaudi editore

© 2020 Giulio Einaudi editore s.p.a., Torino
Pubblicato in accordo con Grandi & Associati, Milano
www.einaudi.it

ISBN 978-88-06-24487-3

Indice

La matematica è politica

Una buona idea? Cos'è una buona idea, Jack?
Forse che avere fame è una buona idea? Forse che
innamorarsi della donna sbagliata non è una buona idea? Le idee non sono veramente importanti
e noi non dobbiamo farci condizionare.

TOMMASO PINCIO, *Lo spazio sfinito*.

Le matematiche sono quella scienza

Bisogna dar ragione a Bertrand Russell quando osserva: le matematiche sono quella scienza, in cui non si sa di che cosa si parla e in cui non si sa se ciò che si dice sia vero. Ecco, in tale incertezza, si capisce che per raggiungere un qualche risultato bisogna mettere a punto un metodo. C'è poi un'altra considerazione, ben espressa da Luciano De Crescenzo in un aneddoto attribuito a Renato Caccioppoli e che qui riporto come la ricordo: uno studente, durante un esame di risposte stentate, confessa al professore di essere innamorato della matematica e il professore risponde, in napoletano: – Guaglio', ma nun si' ricambiat'.

La matematica, in effetti, o questa è la versione comoda, non ricambia spesso. È difficile, lontana, confinata nelle altezze irraggiungibili dell'esattezza. Ciò dipende essenzialmente da due motivi.

Il primo è che la matematica ci viene consegnata da Euclide, nei suoi *Elementi*, come un sistema chiuso, deduttivo, nel quale da certe verità enunciate derivano altre verità, e cosí via in una specie di trenino deduttivo di verità o karma della verità. Successivamente a questo fondamentale, inesauribile e ineludibile modello, quasi tutti i manuali di matematica sono stati pensati e presentati in forma di ipotesi, dimostrazione, tesi. In una sorta di ripetizione che tuttavia, come nella meditazione, nelle religioni orientali o nell'esercizio fisico quotidiano, ha consentito ad alcuni l'accesso a una conoscenza superiore e ha demoralizzato tutti gli altri. Non è la matematica a scoraggiare – la disciplina avventurosa come una giungla psichedelica dove, a dar credito a Russell, non si sa di cosa si parla né se quello che si dice sia vero – ma il modo in cui essa è scritta e presentata.

Il secondo motivo è che a scuola la matematica si studia, nella maggior parte dei casi, fuori dal tempo e dallo spazio, dunque fuori dalla storia. Sí, il teorema di Pitagora viene prima del teorema di Weierstrass, ma perché alla formalizzazione del concetto di limite si giunge molti secoli dopo l'utilizzo del concetto stesso? La matematica si è sempre scritta con le x e con le y? Chi lo sa. La matematica, a scuola, si insegna nel vuoto.

Si potrebbe far risalire tutto, per quanto riguarda le patrie scuole superiori, allo scontro fra Croce e Gentile e Federigo Enriques, tra chi, come Croce, aveva un'idea della filosofia e chi, come Enriques, ne aveva un'altra. Sembrerebbe, questa, una discussione d'accademia, ma non lo era perché avveniva prima degli anni Dieci e si concludeva alla fine degli anni Venti del Novecento quando insomma una guerra mondiale era finita, il fascismo aveva attecchito in Italia e Gentile era diventato ministro dell'Istruzione. In ballo c'era la riforma del sistema scolastico e universitario e mentre Gentile e Croce tendevano a limitare la portata culturale della matematica e ad accorpare l'insegnamento di matematica e fisica, Enriques sosteneva la centralità delle scienze esatte per lo sviluppo tecnologico e piú ampiamente culturale dell'Italia. La riforma della scuola la firma Gentile e non Enriques, e addio centralità delle scienze esatte nello sviluppo culturale dell'Italia.

La matematica viene presentata *a posteriori* e cosí, ai piú, sembra un insieme di procedure di calcolo, numerico e formale, attraverso

il quale si giunge a dimostrare teoremi la cui
vocazione è portare avanti ulteriori procedure
di calcolo, numerico e formale. E così fino a
quando, finita la scuola, ci si iscrive a Ingegneria sperando di liberarsi di calcoli inutili e
di costruire aerei, navi, ponti e supercomputer
supercalcolatori. D'altro canto, i matematici
stessi vengono presentati come geni infallibili,
mentre spesso, come tutti, sbagliano. La matematica però è una disciplina che non lascia
spazio all'ignoranza dell'errore e dunque, di
solito, l'errore non è difetto morale o caratteristica di una classe sociale, ma solo uno dei
modi per proseguire la ricerca, raddrizzare il
procedimento logico o addirittura cambiarlo.
Di alcuni di questi errori si ha memoria – penso alla dimostrazione di Galileo Galilei sull'e-
quilibrio della leva –, di altri no, e quindi, in
fondo, gli errori dei matematici non esistono. Come tutto ciò che non si racconta. Se
leggendo queste righe non vi sovviene nulla
riguardo all'equilibrio della leva né all'aneddoto di Caccioppoli né a Caccioppoli stesso,
non vi preoccupate: potete cercare in rete.
Ma soprattutto non vi preoccupate perché più
delle cose o delle persone sono importanti le
relazioni tra una cosa e un'altra, una persona
e un'altra, e tra cose e persone. Che poi è il

senso della frase di Bertrand Russell, e credo anche della vita quotidiana, pratica e interiore. Le relazioni tra le cose.

Negli anni mi sono convinta che esiste un terzo motivo per cui la matematica risulta ostica. E riguarda la superstizione. L'aritmetica, la prima matematica che incontriamo da bambini (*Guarda come conta fino a 11!*), è un modello del tempo (il due viene prima del tre e dopo l'uno), con i numeri riusciamo a stabilire un prima e un dopo. Senza aritmetica, base dei conteggi, non potremmo costruire gli elenchi. E negli elenchi il tempo non passa. Dunque l'elenco – l'innocua lista della spesa – è il contrario della vita. Il prima e il dopo non sono importanti solo quando siamo nell'eternità. Cioè morti.

Da bambina trovavo incomprensibile il concetto di verità. Da adolescente mi pareva deresponsabilizzante. Scrivo deresponsabilizzante perché il percorso logico è questo: se una verità è assoluta, allora non può essere contestata e non dipende né da un soggetto né da un insieme di soggetti. Se cosí è, delle ingiustizie, sociali per esempio, discendenti da quella verità, nessuno è responsabile. La verità assoluta si subisce.

Subivo, per esempio, la prospettiva centrale alle scuole medie, eccepivo che il fuoco, corrispondente al punto di vista, poteva essere dovunque all'interno del foglio, e non solo al centro. Grazie alla mia insegnante, inoltre, ero brava nel disegno tecnico e dunque riuscivo a consegnare tavole dove case, strade e giardini apparivano deformi e dove il fuoco, per esempio, restava sul bordo del foglio; la tecnica era corretta e perfettamente sovrapponibile, se non per il punto di vista, a quella dei miei compagni. Non è la verità a essere assoluta, mi convincevo, è il punto di vista. Perciò l'assoluto è una scelta, una responsabilità emotiva, sentimentale, culturale, giuridica, politica. Adesso, che sono una signora di mezza età, ho capito che il relativismo è la realtà perché non lascia nulla fuori di sé e che la verità (possederla, assumere di possederla, far credere che essa sia univoca) è uno dei tanti modi di controllo e oppressione o, a voler essere piú cauti – ma perché? –, è una funzione di quel sistema complesso che è il mondo in cui viviamo. La verità non è l'antitesi al sistema, la verità può essere un'ipotesi, o può essere una tesi. Il relativismo non implica che tutti i punti di vista siano uguali, ma che esistano. Il mio punto di vista sul malfunzionamento dello scarico del lavandino, per esempio, non è uguale a quello dell'idraulico perché i dati in suo possesso – osservazione, abitudine, frequentazione, confronto con altri idraulici, memoria di altri malfunzionamenti – sono piú dei miei, e infatti l'idraulico ha una possibilità di valutare (e risolvere) il problema maggiore della mia. Intuizioni infantili e intemperanze giovanili a parte, solo lo studio della matematica mi ha pacificato con

la natura della verità e confortato nella mia
indole di anarchica conservatrice.

La matematica è stata il mio apprendistato
alla rivoluzione, dove per rivoluzione intendo
l'impossibilità di aderire a qualsiasi sistema
logico, normativo, culturale e sentimentale in
cui esista la verità assoluta, il capo, l'autorità
imposta e indiscutibile. Accettare questa definizione di rivoluzione significa ammettere
che la rivoluzione non è un evento, ma un processo, che non esistono certezze perenni, ma
che le certezze camminano sulle gambe degli
uomini e sui loro sistemi giuridici ed economici, e che tuttavia, sopra i sistemi giuridici,
legislativi ed economici, esiste un'idea di comunità che include in sé, per restare a ogni
passo perfettamente umana, il concetto di
tempo, e dunque all'interno della comunità
ucciderc (impedire il tempo) e opprimere (fer-
mare il tempo) non sono ammessi. Accettare
questa idea di rivoluzione vuol dire ripensare la democrazia come forma di rivoluzione
da esercitare.

Torniamo alla prospettiva. La tecnica della
prospettiva è un artificio, che si accorda alla
nostra esperienza (che ha solo la nostra età)
e al nostro istinto (che è molto piú vecchio).

La prospettiva è un procedimento che consente non tanto di rappresentare il mondo quanto di descriverne la nostra rappresentazione. L'occhio di chi guarda. Tutti possono dunque capire ciò che vedo e che dico di vedere o che descrivo, conoscendo il procedimento e accogliendo il mio punto di vista. O io il vostro. Il punto di vista non è assoluto, però è nostro, e ci siamo affezionati. Le verità, trattate come punti di vista, rivelano una natura se non sentimentale, emotiva, e se non emotiva, discrezionale. Studiare aiuta a rendere confrontabili i punti di vista e a capire, volta per volta, che i punti di vista, quando vengono assunti, non sono né giusti né sbagliati (ma solo nostri).

Il punto di vista è piú interessante della verità. Ha un corpo, un tempo, occupa uno spazio, la verità è un punto. Dunque, per seguire Euclide (nonostante tutto), la verità, come i punti, *è ciò che non ha parti*. Nonostante non abbia parti, il punto è l'ente fondamentale della geometria euclidea. Come la verità, che è alla base delle religioni che raccontano alcune tra le piú belle storie del mondo.

Ovviamente, accettare l'interscambiabilità del proprio punto di vista può essere seccante. Ricordo, per esempio, quando mi sono trovata davanti – dopo essere cresciuta su atlanti dove il mondo era rappresentato, in proiezione di Mercatore, con l'Europa al centro e l'Italia al centro dell'Europa, e Scauri al centro dell'Italia e me al centro di Scauri – a un atlante giapponese dove nelle pagine centrali, il mondo era rappresentato, in proiezione di Mercatore, con il Giappone al centro e l'Italia, sul margine del foglio.

Torniamo all'idraulico. Nonostante l'idraulico abbia una possibilità superiore alla mia di capire perché e come lo scarico del lavandino sia otturato, io e l'idraulico ragioniamo in modo simile. Abbiamo scommesso sulle cause e dunque sugli effetti. Diciamo quindi che se la nostra rappresentazione del mondo (descrizione della) procede per deduzione e analogia, la vita e la scienza avanzano per ragionamenti di tipo probabilistico. Se cosí non fosse sia la vita che la scienza si occuperebbero solo di fatti compiuti e lavandini già sturati.

Scrive Bruno de Finetti: la differenza fondamentale da rilevare è nell'attribuzione del «perché», non perché il FATTO che io prevedo accadrà, ma perché io prevedo che il FATTO accadrà.

Ricordo esattamente dov'ero quando ho letto per la prima volta *Probabilismo. Saggio critico sulla teoria delle probabilità e sul valore della scienza*. In un lungo corridoio del dipartimento di Matematica di Napoli, nella sede di Monte Sant'Angelo, su una sedia di legno chiaro, scomoda e richiudibile, dietro di me avevo un'ampia finestra rettangolare oltre la quale si muovevano, diffondendo profumi nell'aria, i cespugli di rosmarino e lavanda, ai piedi calzavo un paio di Adidas rosse con le strisce bianche, modello Gazelle, davanti a me le porte dei bagni sulle quali era disegnata una gaussiana che sembrava, o voleva sembrare, ipotizzo, un fallo, dentro di me c'era il mondo nuovo squadernato dall'idea di probabilità soggettiva. E della matematica come disciplina, come ginnastica posturale, per stare nel mondo e tentare di interpretarlo.

C'è un'ulteriore questione – la quarta o forse è una 2.1 – che allontana matematica e vita. La matematica, nel comune sentire, non è tra le necessità o tra le qualità di una persona di cultura, di un intellettuale. E viene considerata, per la maggior parte del tempo e dalla maggior parte delle persone, una disciplina asettica nel senso di inutile per

intavolare una conversazione e dunque comunicare, confrontarsi, affrontare problemi
pratici, discutere, descrivere, partecipare alla
vita politica. Asettica.

Un esempio. Della Grecia classica si am-
mirano le statue, la filosofia, la democrazia,
il discorso di Pericle agli ateniesi, Socrate
che si uccide con la cicuta, l'eroismo alle
Termopili, gli dèi greci, i sillogismi, e la politica, l'*Odissea*, il cavallo di Troia, le porte
di Tebe, le Sirene, ma il ragionamento deduttivo, l'astrazione e la proporzione non
vengono annoverati e valorizzati mai. Il piú
efficace smantellamento di questa posizione pregiudiziale, almeno per quanto riguarda il concetto fondativo di proporzione, è il
cartone animato Disney *Paperino nel mondo
della matemagica* (1959). Nel cartone, Paperino si accorge che la bellezza greca ha una
natura matematica fondata sulla proporzione. Aggiungiamo astrazione e ragionamento deduttivo.

Il ragionamento deduttivo ci libera dalla necessità di conoscere ogni cosa per esperienza diretta e ci accomuna regalandoci una
grammatica. L'astrazione ci permette di ri-
conoscere regolarità e somiglianze in cose e
questioni distanti. La proporzione consente

di intuire e rappresentare la vastità del mondo, valutare i rischi, riprodurre le regolarità o le irregolarità. Ragionamento deduttivo, astrazione e proporzione sono matematica. Tuttavia, nonostante i fasti della Grecia classica, nessuna civiltà è pervasa di matematica come la nostra. Algoritmi, previsioni, automazioni, calcoli, cronometri, gps, conteggi energetici per perdere peso o acquistarne, lotterie, contapassi.

Il ragionamento deduttivo ha una caratteristica che dovrebbe generare subitaneo e diffuso entusiasmo: è un metodo al quale tutti possono accedere purché ne studino le regole e attraverso il quale è possibile valutare la ragionevolezza o meno di un altro che parla. Sottintende una logica comune, come la prospettiva, e gli scacchi, che, per esempio, insegnano come senza accordo sui principî non è possibile nemmeno combattere, figuriamoci convivere.

Prendiamo fiato e facciamo un tuffo. La matematica fiorisce nelle civiltà libere e creative, vive e prolifera in Grecia, subisce un arresto alla caduta dell'Impero romano quando la religione rimane l'unico grande principio ordinatore, rinverdisce alla fine del Medioevo quando tornano a diffondersi i testi greci e con essi l'interesse per una natura demonizzata in quanto territorio del diavolo.

Il ragionamento deduttivo è servito, a un certo punto, anche alla religione (il pensiero logico deduttivo può essere insidioso): il cristianesimo per esempio ha inventato la teologia. I greci avevano molti dèi ma nessuna teologia. I cristiani hanno un unico dio ma una teologia vasta e larga che non avanza solo per fede ma per deduzione. Nonostante gli esempi siano tutti incredibili, ne porto uno che mi ha sempre divertito: la forma del mondo che Cosma deduce dalle Sacre Scritture. Nella sua cartografia, più o meno a metà del Cinquecento, il mondo ha la struttura di un baule a base rettangolare il cui lato lungo è il doppio del lato corto e che ha per coperchio un semicilindro sorretto da quattro pilastri. Si deducevano, sempre dalle Scritture, i popoli che abitavano le terre emerse, la struttura dell'universo, l'esistenza di angeli e diavoli e soprattutto si deduceva che la Terra non poteva essere tonda altrimenti, oltre la cintura d'acqua dell'equatore, gli esseri che lí abitavano sarebbero vissuti a testa in giú e la pioggia stessa non avrebbe potuto discendere, ma salire, e ciò era irragionevole.

«Piú irragionevole dell'universo a forma di baule?» domandavo a mio padre, e lui, indefesso: «Sí, piú irragionevole».

La magia del ragionamento deduttivo, e la sua fallacia, sta nell'evidenza che, se parti da qualcosa che chiami verità o assioma ma che è solo un punto di vista (che pur non essendo molto, è abbastanza per costruire un mondo), puoi giungere dovunque. Perciò attenzione alle premesse. *Ex falso quodlibet* si dice in latino.

Gli scienziati che, in coda a quel Medioevo teologico-deduttivo, leggendo i greci, si erano volti nuovamente allo studio della natura, erano cresciuti e avevano studiato in un mondo in cui la religione aveva una propria filosofia della natura riassumibile nella frase: il mondo è stato creato da Dio ma gli uomini possono razionalmente comprenderlo.

Come si concilia però la ricerca delle leggi del mondo con la coscienza che, in ogni caso, le leggi sono state scritte dal Padreterno? Semplice: dicendo che Dio ha creato l'universo con leggi matematiche dunque Dio è il piú grande matematico dell'universo-mondo. Cartesio, Newton, Huygens, lo stesso Galileo possono essere pensati come teologi studiosi di matematiche e fisiche in luogo di Dio. La conoscenza matematica è inoltre una verità assoluta e indiscutibile (anche se transeunte, ma su questo torneremo), sulle Scritture si può invece essere in disaccordo. Tant'è che esistono eresie religiose, ma non eresie fisico-matematiche (non vorrei aprire qui la cruenta vicenda degli incommensurabili che ha insanguinato i pitagorici). O forse esistono eresie fisico-matematiche ma non al mio livello energetico, meglio, nel caso, leggere Paolo Zellini.

Dio insomma si svelava nella natura, e grazie alla coincidenza formale di Dio e Natura, gli scienziati potevano studiare la seconda invece del primo. C'è un'altra differenza divertente tra matematica e religione. In matematica, grazie al ragionamento deduttivo, non esistono principî di autorità, ciascuno può ritrovare o ricavare un risultato da solo. La conoscenza è un processo ed è accessibile a tutti, non è il privilegio di una casta di principi o di preti. Immaginare, inventare, come ha fatto Euclide, gli elementi di un mondo e dedurlo. Un intero mondo dal niente, grazie a deduzione, proporzione e astrazione. L'idea che la descrizione del mondo – gli *Elementi* di Euclide, e siamo circa nel 300 a.C. – sia stata fatta attraverso oggetti inesistenti come punti e linee fa impallidire non solo le metamorfosi mitologiche (che comunque partono da esseri esistenti), ma anche il mondo baule di Cosma.

Torniamo alla verità, anzi, alla suggestione della verità. Il sistema consegnato da Euclide – summa della matematica fino a quel punto e propellente matematico da quel punto in poi – era considerato la verità. I libri, nella loro struttura, riverberano certezza, serenità, eternità. (La matematica, d'altronde, eccezion fatta per le religioni è l'unica disciplina che si occupa quotidianamente di eternità e infinito). Alcune ombre però avevano rapidamente oscurato i Campi Elisi. Una riguardava le rette parallele. Il quinto postulato di Euclide recita, nella sua formulazione piú nota: in un piano, data una retta e un punto esterno alla retta, per il punto passa una e una sola parallela alla retta data. Riflettendoci, sembra evidente. E nonostante la mia mente – e quella di almeno tre generazioni – sia stata turbata da cartoni animati giapponesi come *Holly e Benji*, *Mimí e la nazionale di pallavolo* e *Jenny la tennista*, l'unicità della parallela era l'esperienza quotidiana sui fogli da disegno. All'alba del postulato però, e a ragione, quella parallela unica era inquietante, *creepy*, perché né il postulato pareva conseguenza dei primi quattro, né se ne poteva fare a meno nella costruzione della geometria. Non c'erano dubbi sulla veridicità del quinto postulato perché non c'erano dubbi che la geometria dicesse la verità rispetto ai suoi oggetti – che erano poi facilmente assimilabili agli oggetti del mondo. Cosí, non c'era dubbio che la geometria dicesse la verità rispetto al mondo, alla realtà. I dubbi riguardavano la natura del quinto postulato (verità, conseguenza o preferenza?)

Per circa duemila anni i matematici, spinti da un'esigenza di completezza, di assoluto, e da curiosità, indagano incessantemente la natura del postulato. Con poca fortuna. Piú vicino di tutti, nel senso che vede ma non capisce, arriva un gesuita italiano, Giovanni Girolamo Saccheri, negli anni Trenta del Settecento. Saccheri procede per assurdo, suppone che la parallela non sia unica e comincia a ricostruire la geometria immaginando di imbattersi in patenti contraddizioni. Non ne trova alcuna, e nonostante la geometria, da lui costruita ammettendo come ipotesi la negazione del quinto postulato, sia coerente, non riesce a sottrarre valore di verità al sistema di Euclide. Tra i suoi occhi, il suo intelletto e la correttezza della dimostrazione, Saccheri sceglie Euclide. La verità assoluta, come dicevamo qualche pagina fa, è deresponsabilizzante.

Per sfuggire alla suggestione della verità ci vorranno un altro centinaio di anni e due generazioni di matematici, un padre e un figlio.

Negli anni Settanta del Settecento nasce in Ungheria un uomo chiamato Farkas Bolyai che fra i molti talenti annovera quello di eccellente matematico, con l'ossessione (una infezione quasi dei concetti astratti) di disvelare la natura del postulato delle parallele. Farkas ha talmente tante doti, e carattere, che a dodici anni viene incaricato precettore di un coetaneo aristocratico e agiato in compagnia del quale, anni dopo, viene spedito all'università in Germania.

A Gottinga, dove studia, Farkas incontra Gauss, il principe dei matematici. I due diventano amici, si sottopongono vicendevolmente problemi, di cui ipotizzano soluzioni fino a quando Farkas, per un rovescio economico del suo benefattore, è costretto a tornare a piedi in Ungheria. Non si scoraggia, o del suo scoramento non abbiamo memoria, ma sappiamo che ci impiega un anno. Farkas è giovane, bello e intelligente

e, una volta tornato, immagina e pubblica
commedie, inventa una specie di forno per
ceramiche, scrive un trattato di matematica e incontra una donna con la quale fa un
figlio, János. Il piccolo János viene indotto
alla matematica come altri bambini sono sti-
molati a pronunciare ma-ma-ma, pa-pa-pa, e
infatti a cinque anni risolve problemi complessi ed è già infettato dalle ossessioni del
padre. Tra cui il postulato delle parallele.
Anni dopo, János va a studiare a Vienna, in
una scuola militare molto rinomata, e da lí,
comunica al padre di aver capito come scio-
gliere i nodi delle parallele.

Il quinto postulato è un'ipotesi: ogni volta
che lo cambi viene fuori una geometria diver-
sa. Esattamente ciò che aveva scoperto Saccheri, senza accorgersene.

Mi piace pensare alla geometria come a
una granita vecchio stile. Alla base c'è un
bicchiere colmo di ghiaccio triturato (i primi
quattro postulati). Poi puoi scegliere il gusto,
aggiungendo uno sciroppo. Aggiungi menta
(unica parallela), tamarindo (infinite parallele) o fragola (nessuna parallela) e sorbisci la
granita che desideri. Dunque quella di Euclide è una delle possibili geometrie. Geometria
gusto Euclide.

Farkas, leggendo le dimostrazioni di János e seguendone i ragionamenti, decide di scrivere al vecchio amico Gauss per sottoporgli studi e risultati del figlio. Vuole che tutti sappiano, che tutti provino, ciò che János ha già provato. Gauss minimizza, nicchia, temporeggia, risponde che sí, piú o meno ci era arrivato anche lui ma non aveva mai pubblicato i risultati perché privi di interesse. Adduce che sono geometrie inutili perché l'unica geometria, che soddisfa i criteri dell'esperienza e della fisica, è quella euclidea. Farkas e János si deprimono e vivono di stenti (meno tragica di cosí, ma non tanto). La prima ipotesi – molto cartone animato anni Settanta, o anche romanzo storico d'avventura, Gauss, d'altronde, era appassionato e rileggeva ossessivamente i romanzi di Walter Scott, per esempio – è che Gauss temesse Kant e i kantiani. Se infatti lo spazio non è assoluto, allora, forse, non lo è nemmeno il tempo. Lo spazio e il tempo, per Kant, preesistono agli oggetti (altrimenti non sarebbe possibile pensare agli oggetti o al prima e dopo). Se la geometria di Euclide non è l'unica possibile, lo spazio assoluto e il tempo assoluto, base e pilastri sia della filosofia di Kant che della fisica di Newton, crollano. Ma forse è poco per far tentennare Gauss.

La questione della quale mi sono convinta riguarda il volto di Dio. La geometria euclidea è l'unica talmente umana, vale la pena ribadirlo, da accordarsi alla nostra esperienza. Noi sappiamo che se lanciamo un pallone, il pallone, nel movimento, non cambia forma e dimensione. La geometria euclidea descrive, assicura, garantisce formalmente questa esperienza. E anche un'altra cosa assai balsamica per la nostra vanità cristiana. Se proiettiamo un essere umano da qui all'eternità, nell'infinito tempo e nell'infinito spazio, l'essere umano non cambia forma. Avrà due braccia, due gambe, una testa. La geometria euclidea garantisce che Dio ha la forma dell'uomo, e viceversa. In altre geometrie, Dio potrebbe avere la forma di Barbapapà e questo per la vanità degli esseri umani è insopportabile, e forse, visto quello che le Scritture raccontano di Gesú fatto uomo (proiezione dall'eternità di Dio alla nostra temporalità), una geometria che non sia euclidea oltre a non essere utile è blasfema. Senza parlare della storia di re e regine discendenti direttamente da Dio. Che forma avrebbero avuto se la geometria non fosse stata euclidea?

La matematica, però, non ammette principî di autorità né da Dio né dagli uomini. Spazia,

trova, aggiunge nuove verità alle preesistenti. L'idea che Dio non avesse la nostra forma, spaventava Gauss? E Newton e Kant ci
avevano pensato mentre definivano assoluti
lo spazio e il tempo?

In una prospettiva spirituale, il fatto che
altre geometrie siano possibili e coerenti ci fa
sperare che Dio possa avere la forma di una
pianta ed essere già qui a contribuire alla nostra sussistenza e salvezza. Il suo profeta, se
cosí fosse, sarebbe il neurobiologo vegetale
Stefano Mancuso.

Quasi contemporaneamente, ma indipen-
dentemente da Farkas e János Bolyai, un matematico russo, Nikolaj Lobačevskij, sfonda
la cupola di vetro della geometria euclidea e
nel suo *Nuovi principî della geometria. Con
una teoria completa delle parallele* scrive: alcune teorie della geometria elementare lasciano
ancora oggi a desiderare, e penso si debba
a queste imperfezioni il fatto che la geometria ha progredito tanto poco dopo Euclide,
se non si considerano le applicazioni dell'a-
nalisi matematica. Tra i punti difettosi della geometria ricordo… l'importante lacuna
rappresentata dalla teoria delle parallele. Sia
ai due Bolyai che a Lobačevskij si deve una
concezione della matematica contemporanea

secondo cui essa non è specificata e definita dai numeri o dagli enti geometrici ma dalle relazioni tra essi. De Finetti aggiungerà, circa duecento anni dopo: anche dalle relazioni con noi.

Compiti a casa

Vorrei confessare che non sono piú in grado di risolvere un'equazione differenziale, di svolgere un integrale e credo avrei anche difficoltà con i problemi classici di geometria piana, ma vorrei chiarire che tutte queste cose, e altre piú indicibili, sono state il mio pane per molti anni. E cosí, come il corpo degli atleti mantiene il ricordo di una disciplina esercitata giorno per giorno, anno dopo anno, il mio cervello conserva le impronte di calcoli, implicazioni e deduzioni, e la mia grafia pure, le f si allungano come segni di integrale, le d ricordano il simbolo di derivazione, e il mio ragionare monta e smonta. Non penso mai alle singole cose, ma a funzioni e relazioni, tutto mi arriva a grappoli.

I matematici – e questo è rimasto anche a me che non lo sono piú – si occupano naturalmente di contesti e linguaggi. Per questa caratteristica indotta e potenziata dalla

disciplina, i matematici sarebbero mediatori
culturali bravissimi.

La matematica, piú di altre, è una disciplina nella quale, al netto delle doti naturali (come per esempio i quadricipiti di Usain Bolt
nella corsa), applicazione ed esercizio sono
fondamentali.

Non è vero infatti che per studiare matematica «bisogna essere portati». Per studiare matematica, come per il resto e piú del
resto, bisogna solo studiare. Mi rendo conto
che studiare, nella dittatura dell'immedia-
to, che viviamo, è un verbo scomodo, pieno
di conseguenze e al quale è stata sottratta la
sinonimia, naturale, con progettare o immaginare. Un processo, lungo e lento, nel quale i
professori di scuola primaria e secondaria sono stati laboratorio di accuse riassumibili nel
trito slogan «Con la cultura non si mangia».
Poi è toccato agli altri, professori universita-
ri, giornalisti, segretari comunali, medici con-
dotti, deputati e senatori, editori, a tutte le
figure di mediazione che, al netto degli abusi
di posizione, garantiscono, mantengono, nu-
trono la democrazia di un paese. Un processo, lungo e lento, atto a trasformare la vita
sociale in una vita economica, piú economica,
solo economica e i cittadini in consumatori.

Dal mese di marzo 2020, per l'emergenza Covid-19, la scuola è stata chiusa. Non cosí in altre democrazie europee. La scuola è rimasta impronunciata nei discorsi al popolo italiano in diretta su canali tv nazionali e sulla pagina Facebook del primo ministro, Giuseppe Conte, tanto che ho cominciato a introiettare, io come molti, l'idea che il diritto alla salute (un diritto del tempo presente, del singolo e della comunità) fosse in contrasto con il diritto all'istruzione (un diritto del tempo presente, del singolo e della comunità, e del futuro). Ma non è cosí: sembra in contrasto perché, negli anni, è stato smantellato il sistema sanitario nazionale. O forse, semplicemente, la scuola è rimasta impronunciata perché era necessario nominare, in una vita solo economica, le realtà produttive del paese. E ribadire che la scuola non è una di queste.

I diritti, e i doveri, non esistono solo in emergenza. Cosí come le strutture grammaticali non esistono solo nel momento in cui parliamo. I diritti, i doveri e la grammatica disegnano un mondo in cui è possibile comunicare, ma senza esercitarli gli uni e l'altra si perdono, si svuotano.

Come funziona il tempo all'interno della Costituzione italiana? Alcuni diritti vengono prima di altri, hanno un rapporto di causalità o nessuno? I diritti sono in serie o in parallelo?

Un passo indietro riguardo al tempo. Sedersi a svolgere un esercizio di matematica è un gesto di protesta nei confronti del presente, che sia urgenza percepita o stasi di forza maggiore, perché studiare matematica significa riprendersi il tempo. Chiamo presente l'ossessione della reperibilità, la quasi impossibilità di entrare in luoghi pubblici dove non ci siano musica (ristoranti, sale d'aspetto), annunci commerciali o di altra natura (treni, aerei). Chiamo presente tutto ciò che per controllare gli esseri umani li separa e occupa la loro attenzione. Chiamo presente il Covid-19. Chiamo presente le riunioni di lavoro che hanno sempre un orario di inizio ma quasi mai un orario di fine. Chiamo presente, ogni tanto, lo smartphone che amo.

Non ci sono filosofie e religioni altrettanto efficaci, non ci sono passeggiate nella natura che possano reggere il confronto del tempo e del silenzio che regala lo svolgimento di un esercizio di matematica. Si può ricominciare dalle moltiplicazioni a due cifre, da divisioni o tabelline. Tecnicamente, la matematica, allenando all'identificazione delle relazioni tra gli oggetti, al rapporto tra una causa e un effetto, ad avvicinare per analogia questioni distanti, affinando la velocità di ragionamento, lascia tempo ad altro, anzi lo crea. Pomeriggi al sole, amore, sesso, hobby vari, ragionare pallido e assorto sul fatto che ciò che si sta facendo nella vita non sia ciò che si voleva fare. La matematica genera tempo da perdere, dunque da investire. È chiaro che dalla fine di febbraio 2020 alla fine di aprile 2020, la percezione del tempo in ciascuno di noi è cambiata, ma la matematica, oltre a creare il tempo, lo regola. Non importa che il tempo sia troppo vuoto o troppo pieno, gli eccessi si somigliano tutti, l'importante è che uno riesca a governarlo. Fare un calcolo, anche semplice, è un primo gesto.

Inoltre, per caratteristiche di applicazione ed esercizio e per evidenze costruttive (senza 1 non c'è 2 e non c'è 3, senza le addizioni non si possono fare le moltiplicazioni, senza le equazioni non si può passare alle disequazioni, e senza le disequazioni non si può sperare mai di studiare la convergenza di una serie), per l'evidenza, insomma, che la matematica si impara in una maniera che coinvolge il principio di causa-effetto, cioè la necessità, essa è la disciplina che, già dalle prime nozioni, fornisce una postura logica, che subito si rivela postura etica e civile. Questo per specificare meglio quella cosa della ginnastica che ho scritto prima.

Tuttavia proprio per le caratteristiche di applicazione, esercizio e necessità, lo studio della matematica non trova posto in un mondo dove, essendo stato abbattuto il concetto stesso del futuro, l'esercitarsi e il dedicare tempo – a cose e persone – risulta controproducente. D'altronde, applicazione ed esercizio presuppongono una dose di fatica che pare un termine finito con il Novecento e diventato appannaggio esclusivo del gergo di palestre e centri fitness, connesso all'opportunità di perdere peso.

Le palestre e i centri fitness tra l'altro si sono rapidamente riconvertiti in app che ciascuno di noi può scaricare sul proprio smartphone, avendone uno. Io, che pure l'ho fatto, mi sono sentita riportata indietro nel tempo quando potevo vedere – o forse è un ricordo ricostruito – Jane Fonda in calzamaglia che insegnava aerobica. La app per fitness, piú di app per incontri e meno di app su tracciamento, pone la questione di come funzioni la verità in assenza di corpo. In bilico tra film dove si veniva interrogati collegati con un elettrodo a una cosiddetta macchina della verità e serie televisive piú recenti dove il cellulare del fuggitivo, o il microfono, viene attaccato a un furetto che corre libero nelle fogne, mi domando come funzionerà la verità in un mondo in cui la comunicazione – sentimentale, politica, lavorativa, religiosa, educativa – sarà sempre meno mediata dal corpo. Come reagiremo a una verità senza il resto dei sensi? La matematica è l'unico linguaggio che mi viene in mente, l'unico esercizio in cui la verità prescinde dal corpo, in cui il punto di vista prescinde dal corpo anche se non dal soggetto.

La matematica – disciplina estremamente economica a cui tutti possiamo accedere perché si insegna nelle scuole di ogni ordine e grado – si rivela, a osservarla come prassi, e non solo come teoria, una forma di meditazione, di etica e un esercizio sulla verità in un mondo in cui il corpo è sottoposto a inedite limitazioni. Presenza, soggetto senza corpo.

L'istruzione è orizzontale, la cultura è verticale

Mi considero un eccellente prodotto della scuola pubblica italiana, e in questo risultato molto hanno fatto prima i miei insegnanti, poi i miei colleghi di università e dottorato, e infine, per un tempo piú breve, i miei studenti. Non avrei studiato matematica se, alle scuole elementari, il maestro Nicola non ci avesse fatto divertire risolvendo semplici problemi di geometria solida che partivano da bocce, bicchieri cilindrici e coni gelato. Non avrei studiato matematica se, alle scuole medie, Margherita Petriccione non avesse convinto me e i miei compagni di essere bravissimi a semplificare le espressioni letterali, anche se forse eravamo solo volenterosi. Non avrei studiato matematica se al liceo non avessi incontrato prima Giovanni Testa e poi Maria Rosa Valente che mi hanno mostrato, in ciascuna delle loro ore, che le cose erano complicate, ma si potevano risolvere.

Calma e gesso diceva Giovanni Testa, mentre a Maria Rosa Valente bastava alzare gli occhi e tacere.

Non so da quando si sia diffusa la moda scolastica che le cose (concetti? argomenti? temi? calcoli?) debbano essere facili (ho però un'ipotesi). Ma ricordo che per tutti gli anni Novanta le cose erano, d'abbrivo, difficili e oscure e nessuno ne era particolarmente spaventato. Nemmeno all'università, per vero. Credo di aver cominciato a capire quanto la matematica fosse piú ampia di ciò che avevo visto negli anni del liceo, il giorno della prima lezione di Analisi matematica 1 tenuta da Albino Canfora.

Su Albino Canfora circolavano voci evocanti mitologie. Che fosse un comunista, aristocratico e latifondista barese che aveva lasciato tutto ai mezzadri per dedicarsi alla matematica. Come Wittgenstein che aveva rinunciato all'eredità in favore delle sorelle. Che avesse capito Wittgenstein. Che avesse studiato all'estero, in Nord Europa e in Inghilterra, e per questo indossasse volentieri camicie a quadri. Che l'orologio da taschino posizionato sulla cattedra con un'inclinazione di sessanta gradi del cordino rispetto alla cassa fosse l'unico cimelio di famiglia che

avesse tenuto. Che il suo libro preferito fosse
Anna Karenina perché ogni volta che spiega-
va le matrici, nominava il conte Vronskij. E
questo in chi, come me, aveva già letto *Anna
Karenina* faceva sorgere il dubbio che le matrici istigassero al tradimento e portassero al
suicidio. Che soffrisse di *horror vacui* perché,
a ogni lezione, riempiva fino all'ultimo angolo la doppia lavagna scorrevole sulla quale
(di)spiegava l'analisi matematica. Si diceva
che fosse stato l'allievo prediletto di Caccioppoli. Che, in realtà, fosse un fisico. Ovviamente nessuno mai, e nemmeno io adesso,
si era sognato di verificare o canzonare una
delle voci precedenti. La realtà era che Canfora, con gli occhi chiari ma non troppo e la
voce pacata, con un ritmo che non era né ac-
celerato né rallentato, riusciva a non spaven-
tare nessuno nonostante dimostrazioni che
duravano ore e il cui senso non era mai immediatamente evidente (tipo postulato delle parallele). Ma ripeto, questa non era una
questione, perché per capire ci vuole tempo.
Per riuscire a spiegare poi, ci vuole ancora
piú tempo.

C'era poi, nelle lezioni di Albino Canfora
quel sottotesto, scandito non solo da *Anna
Karenina*, ma pure da Omero e Mao Zedong,

e altri racconti, che soave e mannaro come
una sirena – il linguaggio formale era la cor-
da che ci teneva stretti alla salvezza – canta-
va che la matematica è come una grammatica,
che le sue verità sono anche sentimentali, che
per comprendere il mondo bisognava leggere,
leggere, leggere anche i romanzi, perché senza i romanzi non si sarebbe capito il mondo
e senza comprenderlo non lo si sarebbe go-
vernato. Anni dopo in Luigi Maria Ricciar-
di, Paolo Baldi e Roberto Natalini avrei incontrato, oltre che interlocutori matematici,
grandi lettori.

Un episodio, sempre legato a Canfora, mi
ha fatto intendere, una volta per tutte, quanto
conoscere sia un processo che conduce al dubbio piú che alla certezza. Al secondo anno, alla
fine di una lezione di Analisi matematica 2 mi
sono avvicinata alla cattedra con un integrale
che non riuscivo a risolvere. Ho detto al professore, infastidita dalla mia incapacità (infastidita come se quell'insipienza fosse di un altro, e invece era mia): – Non riesco a risolvere
questo semplice integrale! – (indignata, calco
su semplice). Cancellando la lavagna – cancel-
lava sempre la lavagna anche quando la sua
era l'ultima lezione del giorno, trasmettendo,
nel gesto, profonda educazione e senso del

collettivo –, il professor Canfora aveva but-
tato l'occhio sul foglio e sorriso, ma non per
sfottermi, con dolcezza. – Signorina, – aveva
detto, senza interrompere il movimento circolare che ricordava il maestro di *Karate Kid*
in metti-la-cera-togli-la-cera, – quell'integrale è un integrale ellittico che non può essere
espresso in termini di funzioni elementari –.
La forma amichevole dell'integrale mi aveva
tratto in inganno. (Voce fuori campo di mia
nonna: «Dagli amici mi guardi Iddio che dai
nemici mi guardo io»).

Ho capito, in quel momento, che conoscere
la matematica significava pure capire quando
le cose non si potevano risolvere e che, nonostante fossi certa di averlo fatto, non avevo
ancora studiato abbastanza. Che le lavagne
vanno cancellate anche quando sopra ci hai
scritto grandi verità, perché gli altri possano scriverci le loro. E che l'apparenza ingan-
na, anche in ambiti inattesi come i linguaggi
formali. Come gli indiani d'America dovevo
convincermi che esistevano cose che potevo
risolvere e cose che non potevo risolvere e che
era necessario affinare la capacità e l'umiltà di
distinguere. Scrivo di persone perché l'apprendimento ha a che fare con gli incontri, con il
riconoscimento e con la fiducia.

La questione tuttavia è che l'istruzione è un processo orizzontale e collettivo, mentre la cultura è verticale e singolare. La cultura è una scelta individuale. Una scelta che io ho fatto, alcune volte con fatica, altre con leggerezza, altre con una specie di esaltazione religiosa, altre ancora con l'ineluttabilità della predestinazione (figlia di comunisti).

Anni fa malgiudicavo gli intellettuali, gli eruditi che restavano dietro la scrivania a studiare, senza scendere nel mondo. Ero sprezzante. Adesso li capisco, o forse non li capisco, ma li invidio, perché è faticoso confrontarsi – e i professori a scuola e all'università lo fanno – giorno dopo giorno con la velocità alla quale perdiamo parole e forme grammaticali e dunque concetti e principî di causalità, diritti e doveri, buona educazione. Io, nelle mie giornate – talvolta ancora sprezzante, ma ormai verso me stessa –, faccio «come se» lo studio, la comprensione ci fossero ancora come li ho conosciuti, come me li hanno insegnati, e come li ho capiti, e spero di avere l'umiltà di comprendere come sono cambiati, e che quel «come se» crei uno spazio di futuro culturale.

A che cosa serve studiare matematica

La domanda «A che cosa serve studiare matematica?» è stata la persecuzione degli anni di scuola, dalle elementari al dottorato di ricerca e al postdottorato, periodo in cui, se possibile, è diventata ancora piú frequente. Inoltre, nella classifica non dichiarata ma inamovibile delle persone che ponevano la questione, studiare matematica era peggio (nel senso di meno utile, meno remunerativo, meno sexy) che studiare medicina, architettura, giurisprudenza, ingegneria o agraria ma meglio di filosofia o filologia classica, per esempio, lettere moderne non ne parliamo. Cosí, dopo anni in cui ho risposto con un sorriso tra l'annoiato e il superiore – piú superiore, ovviamente – ho capito che la risposta giusta è: studiare non serve, studiare comanda.

Rispondevo cosí agli studenti quando mi chiedevano (a scuola): «A che cosa servono i logaritmi?» Oppure (all'università): «Ma

serve sapere che le matrici sono un anello?»
Rispondevo che i logaritmi non servono, comandano e anche gli anelli comandano, non
solo nella Terra di Mezzo di Tolkien. Di solito la citazione letteraria – a quel punto anche cinematografica e di costume – suscitava
lo stupito *Oh* di cui mi beavo e che mi dava
soddisfazione. Probabilmente mi considera-
vano una mitomane. D'altronde pensare di
poter insegnare qualcosa a qualcuno, presuppone una forma di mitomania. Per educare gli
altri bisogna avere nei confronti di se stessi
almeno un poco di fiducia e simpatia (voce
fuori campo di Natalia Ginzburg).

Mitomania che per la matematica è aggra-
vata dall'insegnare, dalle scuole elementari
in poi – passata, in breve, l'epoca dei regoli
colorati e dei problemi di aritmetica con le
mele e con le pere (almeno secondo la creden-
za) –, con oggetti invisibili e di solito inesistenti che generano apprendimenti altrettanto
invisibili e inesistenti, motivo per cui, a mano
a mano che si va avanti con gli studi matematici ci si ritrova circondati da cose invisibili e
che nonostante siano invisibili e inesistenti
hanno lo stesso significato e valore per tutti.
Insomma, vedi cose che non tutti vedono, ma
non sei pazzo. È come quando sei solo e c'è

una voce che ti parla nelle orecchie ma non
sei pazzo, è la radio.

Al contrario delle parole con le quali parliamo, le parole matematiche non sono frain-
tendibili, perché quando qualcuno dice cerchio tutti pensiamo a formule con π. E il
cerchio può avere raggio piú o meno ampio,
e non cambia nulla. Il cerchio è insomma de-
finito da una relazione tra alcune sue caratteristiche e queste relazioni sono grammatica
comune. La matematica non è la scienza degli oggetti ma della relazione tra gli oggetti
cosí come la grammatica è la scienza delle
relazioni tra le parole. Perciò è importante
conoscere la grammatica: senza grammatica non si costruiscono frasi con un senso
comune tra chi parla e chi ascolta, non si
minimizza un fraintendimento, connesso,
ineludibile (cosí come l'errore nei calcoli)
alla comunicazione tra esseri umani. E non
si costruiscono storie. La matematica è, tra
le discipline di manutenzione, quella grazie
alla quale si capisce che solo gli ortodossi
fanno la rivoluzione.

Un vocabolario che è andato in disuso ma
che presenta la realtà in modo matematico
è il *Vocabolario nomenclatore* compilato negli anni Ottanta dell'Ottocento da Palmiro

Premoli, un uomo di cui purtroppo so molto poco. È possibile trovare l'edizione integrale di questo che è il piú grande dizionario concettuale del Novecento sulla biblioteca digitale Archive.org. Delle parole, nel Premoli, non viene dato il significato, ma una costellazione di senso e appartenenza. Il lemma *Matematica*, per esempio, si snoda tra le parole in neretto quantità, numero, estensione, aritmetica, geometria, algebra, verità, problema, equazione, canone, logaritmo, curva, proporzione. Il lemma *Tavola* procede attraverso banco, parete, pavimento, cucina, mensa, tovaglia, pittura, registro, libro, aritmetica.

Se ripenso alla prova di maturità del 2017, ancora trasecolo. Uno dei problemi proposti era un uomo con paglietta, papillon e bretelle che scendeva una scalinata su una bicicletta dalle ruote quadrate. Il problema, anzi la sua formulazione, aveva avuto immediatamente ampio risalto sui giornali. Io ne avevo scritto per «La Stampa». Distinguo perché il problema in sé non riguarda una bicicletta con le ruote quadrate e come è possibile che essa avanzi. Il problema è uno studio di funzione classico al quale è stata aggiunta, per renderlo piú attraente,

divertente, spettacolare, l'immagine circense di un uomo in sella a una bicicletta con le
ruote quadrate. Dunque, sul problema in sé
e sulla sua plausibilità riguardo i programmi
ministeriali non c'è nulla da dire. Anzi, di
solito le composizioni di funzioni esponen-
ziali per gli studenti (anche per me quando
lo ero) sono rassicuranti.

L'immagine dell'uomo è appunto circense
(papillon, bretelle, cappello di paglia) e la bicicletta che avanza su ruote quadrate appare
un fenomeno, una meraviglia, un miracolo.
Esattamente il contrario della matematica. La
scienza non è un fenomeno magico-religioso
davanti al quale non si può fare altro che
rimanere a bocca aperta. La scienza chiede,
richiede, e fornisce (talvolta) meccanismi per
comprendere. Che la bicicletta con le ruote
quadrate cammini su una certa superficie non
è un numero da circo e non è un miracolo, è
una faccenda perfettamente logica. Il miracolo non è una cosa tanto buona se bisogna
modificare la ragione intima delle cose per
renderle migliori (voce fuori campo di José
Saramago). È talmente logica e naturale, che le
ragioni fisiche per cui la bicicletta con le ruote quadrate avanza sulle scale sono le ragioni
fisiche per cui una ruota circolare procede su

una superficie piana. Solo che una ruota tonda su una superficie piana non è spettacolare. E cosí, la riflessione che torna, seguendo il problema nei suoi quesiti, è perché, anche a scuola, cerchiamo lo spettacolo, l'evento, la trovata, invece di lasciare intendere che per capire le cose, e dunque per stupirsene, ci vogliono tempo e intenzione. Se la bicicletta con le ruote quadrate è un'esca, perché allora non chiudere il quesito con una bicicletta con ruote tonde che corre in piano – e sí che insuffla meraviglia! – e chiedere: ma perché cammina una bicicletta con le ruote tonde?

Qualcuno eccepirà che cosí è un quesito di fisica. Tuttavia (avverbio che coniuga sconcerto e ragionevolezza), se l'istruzione viene data a compartimenti stagni, la cultura (dunque la proiezione dell'esperienza e la pratica dell'immaginazione) non ha compartimenti stagni, e in effetti una bicicletta con le ruote tonde cammina, come tutti sappiamo, fino a quando non incontra un gradino (indeformabile) la cui altezza è pari al raggio della ruota. Stesso motivo per cui la bicicletta con certe ruote quadrate avanza su certi gradini. E non su altri.

Il problema della bicicletta con le ruote quadrate è esemplare perché sempre piú

spesso un concetto, per poter essere accol-
to, deve essere accompagnato da un *evento*.
Anche a scuola. Alla manutenzione l'Italia
preferisce l'inaugurazione (voce fuori campo
di Leo Longanesi). Ecco, la scuola dovrebbe
manutenere la cultura, dovrebbe ribadire che
la bicicletta con *certe* ruote quadrate su una
certa superficie a gradini è come la bicicletta
con le ruote tonde in piano, e che, apparenza a parte, i principî fisici sono gli stessi e
che meraviglia, miracolo, numero e spettacolo sono appunto lo scoprire le ragioni della somiglianza, e dunque che le cose distanti
possono essere simili e che le persone che ci
paiono estranee (e non abbiamo lasciato at-
traccare sulle nostre coste, per esempio) invece ci assomigliano.

Studiare matematica è stata a oggi la piú
grande avventura culturale della mia vita. Per
due motivi, il primo è che ero molto giovane,
il secondo è che ero molto insicura. La giovi-
nezza di solito, se uno è fortunato, passa da
sé, ma l'insicurezza è piú subdola. La matematica mi ha rafforzato chiarendomi i concetti
di verità, contesto e approssimazione che, a
rifletterci, oltre a essere questioni matematiche, sono questioni democratiche. Penso che

studiare matematica educhi alla democrazia
piú di qualsiasi altra disciplina. Sia scientifica che umanistica.

L'esempio piú chiaro, e basta aver fatto le
scuole medie per capirlo, sono le equazioni di
secondo grado. I babilonesi le conoscevano
già, non la forma generale di risoluzione, non
la classificazione, ma le usavano.

La forma generale possiamo sintetizzarla con
quella lettera greca Δ, letta discriminante, il cui
valore, stabilito a partire dai soli coefficienti
dell'equazione, consente di dire se l'equazione
è risolubile o no nell'insieme dei numeri reali,
e anche, nel caso, qual è la soluzione. I numeri reali sono l'insieme dei numeri razionali e
dei numeri irrazionali. I numeri razionali sono
tutti i numeri che possono essere espressi in
forma di frazione, e includono come sottoin-
sieme i numeri interi e sono infiniti. Il nostro
quotidiano è costellato di numeri razionali.
Vorrei mezzo chilo di pane. Nei mesi di marzo e aprile ho trascorso tre quarti del mio tempo di fronte allo schermo. I numeri irrazionali
sono tutti gli altri, forse il piú comune di tutti
è π. (Chi regge il mondo? Atlante. E chi regge
Atlante? La tartaruga. E chi regge la tartaruga?
Mi scuso per questa introduzione mitologica
al discriminante e torno all'equazione).

Per quasi duemila anni, $x^2+1=0$ non ha avuto soluzione. Era un'equazione impossibile. Perché, se si sposta il termine numerico al secondo membro, si giunge a $x^2=-1$ e dunque un quadrato, corrispondente geometricamente a un'area, risulterebbe equivalente a un numero negativo. Impossibile. Per duemila anni l'innocua – non come l'integrale ellittico sottoposto ad Albino Canfora – equazione è stata impossibile. Erano tutti d'accordo, agrimensori e scienziati. Nel Seicento delle rivoluzioni scientifiche, però, Cartesio (e non solo) comincia a pensare che l'equazione sia irresolubile nei numeri che conosciamo, ma che sia possibile immaginare insiemi di definizione che garantiscano la soluzione anche di quella equazione, un mondo in cui i quadrati possano anche essere negativi. L'insieme dei numeri immaginari. E poiché sotto una tartaruga c'è sempre un'altra tartaruga, i numeri immaginari sono numeri che contengono l'unità immaginaria e che si scrivono in forma algebrica $a+ib$ con a e b numeri reali e $b\neq0$ (ammettono altre rappresentazioni).

Ecco, gli studiosi dei duemila anni precedenti avevano sbagliato? Erano tutti cretini e Cartesio l'unico ad aver capito? No, sempli-

cemente qualcuno aveva cominciato a intuire
che i numeri reali non erano tutti i numeri,
ma potevano essercene altri. In matematica
non esiste: ho capito solo io.

La definizione di radice immaginaria è di
Cartesio, negli anni Trenta del Seicento, ma
è la voce fuori campo di Leibniz che dice:
la natura, madre delle verità eterne, anzi lo
spirito divino, è in realtà troppo gelosa della
propria straordinaria varietà per consentire
che le cose si addensino tutte in un unico genere, e perciò ha trovato un sottile e mirabi-
le espediente in quel prodigio dell'analisi, in
quel mostro del mondo delle idee, che è una
specie di anfibio tra essere e non essere chiamata radice immaginaria. Aprendo, tra l'altro, quella porta sul queer che sarà il centro
della riflessione politica, filosofica e civile dal
Novecento in qua.

Riassumendo, in un insieme, i numeri reali,
l'equazione continua a non ammettere soluzione, e in un altro insieme, più ampio, i numeri
complessi, l'equazione ammette soluzione. In
due insiemi, due verità opposte. Mi pare un
esempio convincente sul perché la verità (la
soluzione di una equazione) dipenda dal contesto. E aggiungo che le verità umane somigliano

alle verità matematiche. Sono tutte assolute,
e tutte transeunti, dipendono dall'insieme in
cui vengono enunciate, dal contesto. Motivo
per cui il trito due piú due fa sempre quattro
o uno vale uno sono affermazioni discutibili,
la cui natura si disvela e si specifica nell'ambiente in cui esse si enunciano. Pensate a uno
vale uno: $1=9/9=1\times0,999\dots$ e dunque, per la
proprietà transitiva $1=0,999\dots$

La matematica va a fondo nella definizione della verità. La verità non si possiede
mai da soli. O tutti siamo in grado, date le
condizioni al contorno e l'insieme di definizione, di giungere al medesimo risultato,
o posso gridare forte quanto voglio di pos-
sedere la verità, ma griderò invano. La matematica insegna che le verità sono parte-
cipate, per questo è una disciplina che non
ammette principî di autorità. Tutti, anche
se non siamo Pitagora, possiamo dimostrare il suo teorema. Tutti, ogni volta da capo,
sia con i morti che con i vivi. Politicamente,
un concetto di verità che sia assoluta, transeunte e collettiva sarebbe rasserenante in
un clima politico avvelenato da false notizie,
dichiarazioni mai verificate, affermazioni di
singoli individui che dovrebbero essere cariche dello Stato. Per questo, studiare ma-

tematica aiuta a essere cittadini migliori e a chiarire come la democrazia, con tutti i difetti, sia il miglior sistema di governo possibile e sia pure una forma, ribadisco, di rivoluzione. Ovviamente la democrazia, come tutti i processi di natura deduttiva, è lenta. La democrazia, come tutti i linguaggi formali, presuppone concetti di rappresentazione, grammatica, e regole condivise. Ma mentre in matematica non esistono tiranni, politicamente i tiranni sono esistiti e possono continuare a esistere.

Capire è avventuroso. E, come nelle grandi avventure o esplorazioni, qualcuno non torna indietro. A guardarla, ripeto, la storia della matematica pare costellata di geni. E, in effetti, solo i geni sono rimasti con teoremi che passano di bocca in bocca garantendo eternità: Pitagora, Talete, Weierstrass. Nomino quelli che tutti abbiamo sentito almeno una volta durante gli anni scolastici, anche quando eravamo distratti a scarabocchiare il diario, mandare sms, incidere il banco o giocare a Candy Crush. Se è possibile riscoprire scrittori, poeti o saggisti sfuggiti al canone e conservati in biblioteche fisiche o archivi digitali, è raro ritrovare le carte matematiche di chi ha fallito una dimostrazione. Motivo per cui, intorno a chi studia matematica esiste un'aura di presunta intelligenza parente del genio.

L'ho già detto ma è importante ricordare che l'idea che abbiamo della matematica dipende dal racconto che ne abbiamo fatto, e da una cosa che chiamerei consistenza dell'errore. Se l'errore è ineludibile ed è talvolta un modo per proseguire una ricerca, al pari di un'intuizione, perché celebrarlo? Se l'errore è uno strumento, perché renderlo epico o sottolinearlo? Della matematica non esiste un racconto di genere realista, ma solo un racconto o epico o tragico. L'intuizione della gravità viene celebrata. Delle intuizioni celebriamo il loro supposto innatismo, la loro casualità, il venire dal nulla. Mandiamo avanti l'idea che la soluzione a un problema possa venire dal nulla. Quindi perché studiare?

La matematica è una disciplina che favorisce la diffusione della democrazia. Prima di tutto, un matematico non risponde mai al *chi* ma sempre al *cosa*, ragion per cui tra il cattedratico che pone una domanda ovvia e un passante che pone una questione interessante, l'attenzione del matematico si rivolgerà prima al passante. È una disciplina che non ammette principio di autorità giacché nessuno possiede la verità da solo, le verità sono asserzioni verificabili da chiunque, o se non da chiunque (alcune volte è difficile) almeno da un certo numero di persone. Inoltre, la matematica è un linguaggio, una grammatica. Per discutere di matematica bisogna accettarne le regole. Sicché uno studioso, ma anche uno studente di matematica, è abituato a operare in un mondo di regole comuni, per ridiscutere le quali non si può essere in uno, bisogna essere almeno in due. Ovviamente la matematica non procede per voto o alzata di mano, ma per ipotesi e verifiche.

Se i nostri politici avessero studiato matematica, e se studiandola l'avessero capita, si comporterebbero diversamente rispetto alle cariche dello Stato che ricoprono perché non agirebbero come singoli, ma come funzioni di un sistema piú ampio del loro ego, e soprattutto non si preoccuperebbero delle cose ma delle relazioni tra le cose, dunque sarebbero piú cauti nel dare una notizia falsa o non verificata, perché consci di quanto la notizia falsifichi il resto, talvolta il contesto, dunque, per ciò che abbiamo detto rispetto al contesto – la notizia stessa cambia – sarebbero consci di quanto l'abuso di posizione e di occasione indebolisca altre posizioni del medesimo sistema democratico.

Un'emergenza può essere definita come il verificarsi di una circostanza che mette in pericolo persone, cose, strutture di varia natura e richiede interventi eccezionali e urgenti. Poiché la democrazia, l'ho già detto, non subisce la dittatura dell'urgenza, esistono i protocolli. Il protocollo, come la mappa di Jack Sparrow in *Pirati dei Caraibi*, è indizio e indicazione, perché la probabilità di avere due emergenze identiche è molto bassa: il protocollo non può prevedere tutto. D'altronde, mi immagino il protocollo come la conoscenza, una cassetta degli attrezzi nella quale sono riposti quelli piú adatti per risolvere, volta per volta.

Tra le misure da mettere in atto per gestire l'emergenza ci sono quelle riguardanti la comunicazione dell'emergenza stessa, insieme alla quale si muovono paura, panico e ansia, la cui diffusione è possibile studiare matematicamente attraverso modelli analoghi a quelli virali. Insomma, non si esce dal virus.

Tra i protocolli di gestione dell'emergenza e per attuare le misure di contenimento del contagio c'è stata anche la limitazione di alcuni diritti costituzionali. Dunque, un nuovo gioco della democrazia al quale, nonostante il vieto racconto degli italiani che non rispettano alcuna regola, tutti abbiamo partecipato ligi, come interpretassimo il vieto racconto dei tedeschi che rispettano le regole. Abbiamo accettato le limitazioni della libertà personale (art. 13), della libertà di circolazione e soggiorno (art. 16), della libertà di riunione (art. 17) – chiamata sempre assembramento –, della libertà di culto (art. 19) e della libertà di difesa, vista la sospensione delle udienze (art. 24).

Tuttavia. La pubblica amministrazione – che mentalmente, e nonostante mia madre, immagino come una delle dodici fatiche di Asterix – agisce, sia in emergenza che in manutenzione, in base, tra gli altri, ai princîpi di *prevenzione* e di *precauzione* che, in sintesi, sanciscono, il primo, che è necessario e opportuno intervenire con azioni preventive, e, il secondo, che è necessario e opportuno prendere misure di tutela ancora prima di essere certi di un pericolo. Perché la pubblica amministrazione agisca è sufficiente un pericolo probabile. I due principî stabiliscono il necessario per limitare o eliminare il pericolo. Abbiamo assunto, io per prima, la ragionevolezza di queste limitazioni pur sapendo che esse andavano a intaccare libertà e valori essenziali in democrazia. Ragionevolmente, queste misure avranno una durata, tuttavia il confine tra protezione e controllo, anche in me che pensavo di avere strumenti culturali per distinguerli, si è fatto piú incerto. Riesco a utilizzare il verbo «accettare» e non «subire» per le limitazioni ai miei diritti costituzionali fino a quando ne capisco il senso. La differenza che passa tra protezione e controllo è la stessa che discrimina democrazia e dittatura. In democrazia ci sono istituzioni deputate al controllo ed esse stesse sottoposte a controllo, in una dittatura c'è un uomo forte – che potrebbe tuttavia essere, con un salto di immaginazione, uno Stato forte – che controlla i cittadini perché rispettino le leggi. Li controlla anche quando rispettano le leggi. In democrazia non esiste la precrimine, per dirla con Philip Dick: ciascun cittadino conosce bene, per sommi capi, per senso comune, per educazione civica, per intuizione, la differenza tra infrangere una legge e rispettarla. Percepisce la distanza tra accettare e subire. La precauzione, e con essa il principio, si traduce, talvolta inconsciamente, nell'esistenza di paure prive di fondamento. E la democrazia è l'esatto contrario della paura. È difficile agire senza alcuna certezza, ma d'altronde, come ha insegnato De Finetti, non è interessante valutare la probabilità del perché qualcosa accade, ma del perché, uno scienziato, un matematico, un virologo, un ricercatore, pensa che accada. E per quanto talvolta non congruenti tra loro, è a queste probabilità cariche di studio, immaginazione e memoria che ci rivolgiamo, perché sono certamente piú accurate della nostra. È difficile rispettare le regole quando si è cresciuti con altre regole, ed è difficile capire quando e se quelle regole, da strumento di protezione si trasformano in strumento di controllo, fuori di noi, ma soprattutto dentro di noi. La scienza non avanza per certezze, ma per ipotesi: è verificabile. Le verità della scienza evolvono. E pensare agli scienziati come ai sacerdoti della soluzione o della guarigione è un modo di delegare la responsabilità politica. Oltre che di istituzionalizzare come scienza qualcosa che è il contrario della scienza: la certezza fideistica.

La democrazia è un sistema lento e costoso, e va manutenuto. Come la comprensione, la democrazia non si sceglie una volta per tutte, va esercitata, rinnovata e verificata, somiglia a una teoria scientifica. La manutenzione della democrazia si fa esercitando i diritti e rispettando i doveri, ed è esattamente come imparare a contare. La democrazia è complessa. La dittatura è piú semplice. Uno comanda, tutti gli altri eseguono. La dittatura non è matematica, non si evolve e non si interpreta, cambia colore ma funziona sempre allo stesso modo: uno comanda, tutti gli altri eseguono. Non ha altra conseguenza, altra implicazione che l'obbedienza. Non ha altra ipotesi che il principio di autorità. La democrazia è matematica, si basa su un sistema condiviso di regole continuamente negoziabili e continuamente verificabili. La democrazia, come il linguaggio, e tra i linguaggi la matematica, non è naturale, non è un fiore che sboccia, è una costruzione culturale e dunque, in quanto tale, va continuamente ridiscussa, la democrazia non rinverdisce a primavera come certi alberi, bisogna sceglierla, come si sceglie il linguaggio. Dunque, dal punto di vista costitutivo, la matematica è il contrario della torre d'avorio, del castello, del tabernacolo, la matematica esercita al contesto e quindi a essere cittadini e rappresentanti dei cittadini. E da questo punto di vista, la democrazia, che per poter esistere ha bisogno di tempo e discussioni piú lunghe di un tweet, è rivoluzionaria. Non si alimenta di urgenze, le prevede piú o meno ragionevolmente secondo emergenze che possono o no diventare catastrofi anche in base al modo in cui vengono affrontate e gestite. La democrazia non istiga alla colpa, ma alla responsabilità, non alla differenza ma all'uguaglianza davanti ai diritti e ai doveri. Non esclude, crea comunità. La democrazia e la matematica non subiscono il principio di autorità dell'urgenza.

Il primo errore di valutazione siamo noi

Torniamo nel corridoio del dipartimento dove a vent'anni leggo il saggio sul probabilismo di Bruno de Finetti e dove mi si dischiude il mondo della probabilità soggettiva. La conseguenza di questa rivelazione sarebbe stata cominciare a rivedere tutto secondo l'approccio soggettivo, ma non l'ho fatto. Anzi, mi sono allontanata velocemente dal bagno, sono entrata in biblioteca, mi sono intrufolata fra gli scaffali e ho nascosto il saggio critico sulla probabilità e sul valore della scienza. L'osservazione di De Finetti – la differenza fondamentale da rilevare è nell'attribuzione del «perché»: non certo perché il FATTO che io prevedo accadrà, ma perché io prevedo che il FATTO accadrà – aveva una implicazione che andava oltre l'indirizzo dei miei studi e delle ricerche matematiche alle quali mi affacciavo e oltre la conferma che non esiste la verità. De Finetti diceva che l'incertezza non è eliminabile, solo misurabile. Il primo errore di valutazione nelle cose siamo noi. A vent'anni, non ero disposta ad accettarlo, non avevo ancora smantellato la sovrastruttura di certezze alla quale davo il nome di idealismo. Giustizia, fratellanza, libertà prima di tutto e verità anche, nonostante non mi fidassi del concetto. A vent'anni, non ero disposta ad accettare che l'errore è la nostra caratteristica principale. Oggi, a quaranta, mi pare confortante. Soprattutto che l'errore ci accomuni tutti, sia dunque ulteriore elemento di vicinanza. Ognuno di noi sbaglia a modo proprio, ma tutti sbagliamo, e dunque: tutte le persone che sbagliano si assomigliano... si potrebbe scrivere giocando con uno degli *incipit* piú noti della storia della letteratura (e anche qui c'entra Vronskij).

Dunque, la matematica, rispetto all'errore, è piú accogliente del cristianesimo, anche se in matematica sinonimo di perdonare è capire. Sia per perdonare che per capire ci vogliono tempo e intenzione. Ecco, l'intenzione, riguardo l'apprendimento, è qualcosa che viene spesso trascurato o relegato a elemento secondario. La matematica è stata una delle mie prime intenzioni, e non l'ho fatto per amore (cioè anche, della professoressa di matematica del liceo), ma per protesta. E non ho mai avuto reali ripensamenti perché è avvincente, almeno una volta nella vita, confrontarsi con qualcosa il cui senso viene dopo, e talvolta, molto tempo dopo, e perché ho capito che la verità è sí un punto di vista, ma non ha niente a che fare con manipolazioni triviali atte a screditare un soggetto o un tema agli occhi e alle orecchie degli altri.

L'incertezza è ineludibile. E cosí il nostro incarnare l'errore. Dovrebbe essere complicato costruire, attraverso gli esseri umani, un sistema di regole, convenzioni anche, comuni e trasmissibili. E invece è piú semplice di quanto sembri se, all'ineffabilità degli stati d'animo con i quali prendiamo le decisioni, si sostituisce un modello di individuo che supponiamo non avere incertezze. Un analogo logico delle Barbie (per chi ci ha giocato, per chi avrebbe voluto e anche per chi le detesta). In effetti, non è che le già citate statue greche rappresentassero la realtà: rappresentavano un modello, non affetto da imperfezioni estetiche, di una idea di uomo o di donna. Cosí come il modello logico di individuo che andiamo costruendo non è affetto dalle incertezze decisionali che caratterizzano noi tutti. E dalle miserie da cui nessuno è immune. Attraverso questo individuo idealizzato e i suoi percorsi razionali, le sue scommesse, è possibile costruire un sistema logico indipendente dal colore politico e pure dai soldi. La logica si rivela cosí, grazie a questo cittadino modello, non una proprietà delle leggi del mondo e dell'universo, ma un'estensione del dominio del ragionamento. E dunque la matematica, come si capisce anche abbastanza bene da *Matrix*, intuitivamente, è un esercizio per ampliare il ragionamento. Ma è utile anche in altri ambiti, e torno alla democrazia.

La nostra democrazia è rappresentativa. Vuol dire che i cittadini maggiorenni eleggono i loro rappresentanti. E che questi rappresentanti agiscono, in accordo con i princípî della Costituzione, per governare e far progredire spiritualmente e praticamente la nazione. I rappresentati sono cittadini, sono esseri umani, sono dunque fallibili. Tuttavia è successo che nella storia della nostra Repubblica alcuni individui abbiano scelto di aderire, e abbiano in effetti aderito, a una sorta di cittadino modello in base al quale agire. Adesso questo non succede, o accade assai piú raramente, io credo, per mancanza di immaginazione. Se ci fosse immaginazione anche solo sufficiente, i nostri ministri si comporterebbero come ci si aspetta da un ministro, dunque in accordo con la nostra Costituzione, dunque per esempio in accordo con l'articolo 3 che comincia: «Tutti i cittadini hanno pari dignità sociale e sono eguali davanti alla legge, senza distinzione di sesso, di razza, di lingua, di religione, di opinioni politiche, di condizioni personali e sociali».

Non rispettare la Costituzione, calpestarla incitando, per esempio, all'odio razziale, culturale o sociale, mettendo, per esempio, il diritto alla salute in contrapposizione al diritto allo studio, non solo è un'offesa alla Repubblica – e a chi ha scritto la Costituzione pensando e ricordando il sacrificio di vite umane per riconquistare la dignità dell'Italia (scrive Calamandrei senza il timore di apparire sovranista) –, ma è un comportamento che può essere corretto studiando matematica, cioè prendendo confidenza con sistemi nei quali per agire, muoversi, giudicare e soprattutto convivere e comunicare bisogna imparare a rispettare alcune regole. Una persona che studi i numeri naturali, i numeri complessi, le equazioni di primo grado o la teoria del caos comincia sempre dalle definizioni, definizioni che, come stiamo cercando di imparare emotivamente, non sono regole preesistenti all'umano, ma punti fissati dagli esseri umani per costruire un mondo che vada oltre singole e vaghe sensazioni.

Studiare matematica significa esercitarsi a intravedere, supporre, immaginare regole che non riguardino un individuo o un oggetto, ma piú individui e piú oggetti e soprattutto le relazioni tra essi.

Studiare matematica significa introiettare l'idea che le regole esistono e che anche quando – giustamente talvolta – si infrangono, vengono sostituite da un altro sistema di regole (non avere regole, per esempio, è ancora una regola). La cosa interessante da chiedersi nel definire le regole è: che mondo disegneranno?

Che mondo disegna la Costituzione italiana? Quando la leggo e mi guardo intorno, non vedo quel mondo pensato, promesso e possibile.

Sono sempre stata insofferente al principio di autorità, mai alla regola. La regola d'altronde, come quasi tutto, non è uno stato, è un processo. Senza regole non si convive, senza regole comuni non si può rompere lo *statu quo*, senza regole comuni esiste la regola di uno o dell'altro, esiste la dittatura. Le rivoluzioni, dopo aver rotto regole comuni o rovesciato le dittature, tendono a creare regimi di controllo ancora piú autoritari. Cosí, da bambina, mentre mi appassionavo al cartone animato *Lady Oscar*, chiedevo a mia madre: ma che fanno il giorno dopo la rivoluzione?

Superadditività

Ho passato molti anni a studiare e quindi, forse, anche per amor proprio, mi fido delle persone che studiano. E sempre in quanto figlia di un segretario comunale, tendo a fidarmi delle istituzioni. Cosí adesso, dal 9 marzo 2020 e senza smettere di osservare le contraddizioni, tra Regione e Regione e tra Stato e Stato europeo, mi sono fidata dei medici, degli infermieri, dei chimici, dei ricercatori e anche degli amministratori, che, ciascuno nel proprio ambito, sono stati chiamati ad approntare un metodo, a esercitare una prassi per limitare la diffusione del nuovo coronavirus.

Molti degli anni trascorsi a studiare, li ho passati sui numeri e piú precisamente sui modelli matematici. Mi divertiva, per esempio, osservare le somiglianze tra modelli di diffusione di una epidemia e quelli di diffusione di una diceria, di un pettegolezzo. D'altronde,

Burroughs ha scritto, e io sono d'accordo, che il linguaggio è un virus. D'altronde, in effetti, il brocardo latino *Verba volant scripta manent* andrebbe interpretato in un senso piú preciso rispetto al solito (le cose scritte rimangono), e cioè le parole scritte se ne stanno ferme e le altre vanno in giro liberamente. Il punto è che le parole e certi virus, come il Covid-19, camminano sulle gambe degli esseri umani (e anche sulle dita che gli esseri umani tengono su schermi e tastiere). Forse potremmo addirittura descriverci, in sintesi o in senso fenomenologico, come un agglomerato di parole, virus e batteri. La vita d'altronde è una malattia mortale. Ma studiare tanti anni una disciplina esatta, come la matematica, o la fisica – penso alla serie di articoli intrapresa da Paolo Giordano sulle pagine del «Corriere della Sera» nei primi giorni della Fase 1 del marzo 2020 –, significa cercare di definire la paura. Che non vuol dire però smettere di provarla, ma tentare di renderla meno vaga. Significa anche trovare una storia. E la storia matematica che sta dietro i modelli di una diffusione mortale o immunizzante – o guarisci o muori, in realtà (qui-Covid) potresti anche riprenderla – sono due probabilità. La prima rappresenta la probabilità che un individuo che può essere infettato si infetti, la seconda ha a che vedere con la probabilità che un individuo ammalato guarisca o muoia. Ecco, cosa possiamo fare per governare la prima probabilità per la quale, in democrazia e ragionevolezza, non servirebbe nemmeno una ordinanza? Cercare di limitare il contatto, dunque stare chiusi, ognuno nella propria casa. Nonostante la casa non sia sempre accogliente. E dal punto di vista architettonico e dal punto di vista relazionale.

Il linguaggio non è un virus solo quando si parla di maldicenze, è un virus anche quando si parla di diffusione delle informazioni. Ho imparato nei giorni passati un nuovo termine. *Infodemia*. Dalla Treccani: «Sostantivo femminile. Circolazione di una quantità eccessiva di informazioni, talvolta non vagliate con accuratezza, che rendono difficile orientarsi su un determinato argomento per la difficoltà di individuare fonti affidabili».

È possibile ammettere, lo ammetto io pure dopo aver parlato di fiducia nelle istituzioni, studi di matematica, modelli epidemici *et alia*, che la vera infodemia abbia riguardato le modalità della comunicazione della contenzione, del confino, del «lockdown» e portato a un regime di irragionevole paura che ha, credo, rivelato, una volta di piú, la cagionevolezza della nostra democrazia. Ci ha soprattutto condotto – di certo ha condotto me – a valutare la vita come mero sostentamento biologico. Il mero sostentamento biologico non funziona, e spero mi seguiate nel gioco dell'oca che ha per caselle Benjamin, Agamben e Rodotà, e in cui è possibile valutare l'intersezione tra rischio sociale e rischio sanitario e reclamare la non sottovalutazione del rischio sociale.

Riprendo Walter Benjamin, *Angelus Novus*: è falsa e miserabile la tesi che l'esistenza sarebbe superiore all'esistenza giusta, se esistenza non vuol dire altro che la nuda vita. L'uomo non coincide in alcun modo con la nuda vita dell'uomo; né con la nuda vita in lui né con alcun altro dei suoi stati o proprietà, anzi nemmeno con l'unicità della sua persona fisica.

La nuda vita è quella rispetto a cui tutti siamo eccedenti. Agamben scrive in *Homo sacer* che *zoé* e *bíos*, i due termini greci per vita, indicano l'uno la nuda vita e l'altro la vita in relazione (la mia ossessione matematicodemocratica). Il corpo democratico esiste solo con i cittadini, il corpo democratico ha bisogno di esseri in relazione. Tutti noi, per emergenza, siamo stati ridotti a nuda vita+consumo.

Sulla non riducibilità di un uomo alle proprie caratteristiche e informazioni biologiche, genetiche e tecnologiche ha detto piú precisamente di me, e dunque per me, Stefano Rodotà nel *Diritto di avere diritti*: bisogna allentare l'enfasi tecnologica, per evitare che la biologia cancelli la biografia. C'è una permanente eccedenza della persona rispetto all'insieme dei dati fisici e virtuali che la compongono.

La biografia è in relazione (cose, persone, vita). Un concetto matematico che mi ha sempre affascinato è la superadditività (esiste, per vero, anche una subadditività, cosí come esiste un'additività). E mi pare che c'entri.

La successione dei numeri naturali è una successione additiva, perché il termine n-simo sommato al termine m-simo dà per risultato il termine $n+m$-simo. Il numero 3 che è in posizione 3, sommato al numero 4 che è in posizione 4, dà per risultato il numero $7=3+4$ che è in posizione 7. La funzione quadrato di un binomio è invece superadditiva nel senso che $(x+y)^2$ essendo pari a x^2+y^2+2xy è maggiore di x^2+y^2.

Ecco, la vita singola e la vita collettiva godono di una superadditività che fa sí che nessuno di noi sia la mera somma dei propri dati biologici, giuridici, virtuali, ma sia qualcosa di piú. La stessa democrazia è superadditiva, lo Stato è qualcosa di piú rispetto all'azione congiunta di potere legislativo, esecutivo e giudiziario.

Questo qualcosa di piú, per quanto riguarda i singoli esseri umani, penso sia la memoria e dunque la possibilità di fraintendimento e se non di fraintendimento, di interpretazione, di comprensione e dunque di perdono. Penso sia, in breve, il linguaggio. Il linguaggio ci rende non riducibili alle nostre caratteristiche e informazioni biologiche, genetiche e tecnologiche perché permette di raccontare. E raccontando di creare versioni. Siamo anche quello che tutti gli altri vedono di noi, la nostra libertà di azione e racconto ha come limite e sprone la libertà di azione e racconto degli altri. Se la democrazia è superadditiva, fino a quando le limitazioni, temporanee ed effettive, per questa zoonosi o altre, ai diritti costituzionali, il non-pensiero sulla scuola, il non-pensiero sull'editoria, il non-pensiero sul teatro, il non-pensiero sulle scienze di base, non saranno lesivi per l'esistenza della democrazia stessa?

L'esercizio della democrazia

Torniamo alla Costituzione e facciamo ciò che naturalmente fa un matematico dopo aver immaginato e scelto alcuni principî. Decide di dedurre un andamento, un comportamento, di giungere a una tesi.

Svolgiamo dunque l'esercizio della democrazia (i corsivi sono miei).

Art. 1: «L'Italia è una Repubblica democratica, fondata sul lavoro. La sovranità appartiene al popolo, che la esercita *nelle forme e nei limiti* della Costituzione».

Art. 2: «La Repubblica *riconosce e garantisce i diritti* inviolabili dell'uomo, sia come singolo sia nelle formazioni sociali ove si svolge la sua personalità, e *richiede l'adempimento dei doveri* inderogabili di solidarietà politica, economica e sociale».

Art. 11: «L'Italia *ripudia la guerra* come strumento di offesa alla libertà degli altri popoli e come mezzo di risoluzione delle controversie internazionali; consente in condizioni di parità con gli altri Stati alle limitazioni di sovranità necessarie ad un ordinamento che assicuri la pace e la giustizia fra le Nazioni; *promuove e favorisce le organizzazioni internazionali rivolte a tale scopo*».

Art. 12: «*La bandiera* della Repubblica è il tricolore italiano: verde, bianco e rosso, a tre bande verticali di eguali dimensioni».

Art. 54: «Tutti i cittadini hanno il dovere di essere fedeli alla Repubblica e di osservarne la Costituzione e le leggi. I cittadini cui sono affidate funzioni pubbliche hanno il dovere di adempierle *con disciplina ed onore*, prestando giuramento nei casi stabiliti dalla legge».

Dall'articolo 1 si deduce che la sovranità si esercita nelle forme e nei diritti della Costituzione, non in altri. La sovranità, vista dall'interno, è l'insieme del potere legislativo, esecutivo, e giudiziario, e dall'esterno è l'indipendenza dello Stato.

Dall'articolo 2 discende che diritti e doveri sono gli uni inviolabili e gli altri inderogabili, allargare cioè l'esercizio dei diritti significa ampliare quello dei doveri. In tale ottica, la frase «rubare il lavoro agli italiani» non ha senso, perché il diritto al lavoro coesiste con un mazzolino di doveri (tra cui: pagare le tasse, mandare i figli a scuola), dunque chi guadagna diritti, guadagna doveri. Perché sia gli uni che gli altri riguardano il singolo e l'insieme dei cittadini.

L'articolo 11 chiarisce che mai e poi mai l'Italia limiterà con la guerra la libertà degli altri popoli, e dunque che non limiterà in alcun modo la libertà di altri popoli. Nemmeno la libertà a spostarsi, migrare. Accettare la nostra libertà di muoverci temporaneamente limitata per l'emergenza Covid-19 è stato faticoso, ma lo abbiamo fatto convintamente, partecipi dello Stato. Riusciremo a essere piú radicali nel chiedere politiche giuste e rispettose per interi popoli che si spostano?

L'articolo 12 garantisce che il tricolore non è il simbolo e il vessillo dei partiti di destra o estrema destra ma di tutti i cittadini italiani.

L'articolo 54 impone ai rappresentanti democraticamente eletti e ai cittadini cui sono affidate funzioni pubbliche di svolgere i loro compiti con disciplina e onore. Anche disciplina e onore sono diventati appannaggio di una retorica di destra.

Disciplina nel suo significato letterale vuol dire educazione, nel significato che piú detesto vuol dire costrizione, da un punto di vista collettivo indica l'insieme di principî e norme che regolano la convivenza dei componenti di una comunità (Treccani).

Onore, in senso lato, coincide con reputazione e dignità o con il merito, può significare gloria o vanto, in senso piú collettivo significa onestà, lealtà, rettitudine. Dignità e onore sono richieste complicate, specialmente nella loro accezione plurale, che tuttavia è quella piú plausibile essendo state scritte per fornire un indirizzo alla Repubblica italiana. È dignitoso e onorevole rivolgere parole violente a una donna zingara, chiamandola *zingaraccia*? (Matteo Salvini, Milano, 1° agosto 2019). È dignitoso e onorevole dare conferenze stampa da ministro mentre si è sulla spiaggia da privati cittadini? (Matteo Salvini, Milano Marittima, 4 agosto 2019; il ministro è una funzione non uno stato dell'essere, il ministro è una funzione non un singolo essere umano in bermuda). È dignitoso e onorevole lasciare che le persone muoiano in mare? Penso che non avere onore e dignità nell'esercizio delle proprie funzioni equivalga a violare le regole della nostra democrazia, a cancellare il mondo disegnato dalla Costituzione. E se qualcuno trova utile imparare le regole del calcio per giocare e divertirsi a guardarlo con gli amici, per tifare, e dovesse trovare inutili le regole della democrazia, invito a pensare al contrario della Democrazia cioè Nessuna libertà di stampa, di espressione, di professione religiosa, di scelta sessuale, di studio, di tifo per la propria squadra di calcio.

Il contrario della democrazia è macabro, per questo tento di esercitarla, e per questo, temendo derive autoritarie da cui nessuno è immune, ho capito la fortuna di aver studiato matematica.

Alcune volte giocare con le regole è complicato, perché ovviamente le regole, soprattutto quelle che ci preesistono, determinano le circostanze. Non ho capito subito, per esempio, che il mondo in cui mi muovevo era disegnato dai maschi e per i maschi. Non so se sia dipeso dalla mia attrazione per i manichini o dalla mia passione per Platone e i suoi archetipi o per quei canoni policletei che valevano per uomini e donne, immutati. Un po' perché in base a questo e negli anni, anche anni matematici, sono diventata sempre piú forte sulle categorie e sempre meno sui generi. Non so nemmeno se sia stata un'esigenza culturale o mi sia trovata a nascere in un periodo in cui avevo spazio per pensare. E non so neppure se il fatto di avere una madre che lavorava tutto il giorno, e un padre fisico con la barba che se c'era cucinava, mi abbia mostrato una realtà senza ruoli, una realtà di persone che fanno le cose. Persone. Sotto queste ipotesi ho sempre provato fastidio per il femminismo, il separatismo, l'idea delle identità di genere, la categorizzazione della letteratura come femminile, l'idea del femminile e del maschile, e non ho mai temuto le donne mezze nude in televisione o i cliché sulle bionde o quelli sugli uomini con una enorme automobile. Le donne non mi sono mai sembrate diverse dagli uomini, né mi è mai parso avessero meno possibilità.

Oggi penso che la mia visione del mondo dipendesse da un punto di vista parziale e deresponsabilizzato rispetto alla valutazione delle donne, e alle loro conseguenti possibilità. Come tutti gli intransigenti, gli orgogliosi, i fortunati mi sono accorta d'improvviso della differenza tra il corpo esposto e rivendicato dalle donne come luogo di arte e di lotta e il corpo delle donne esposto come fosse vuoto. E per sempre giovane. Oggi so che per cambiare, il primo passo è pensare bene a quello che si dice, e a come lo si dice. Anni fa, al Festivaletteratura di Mantova, ho sentito Wole Soyinka, premio Nobel per la lettera-

tura 1986, dire: la cosa piú difficile per me
scrittore è stata scrivere nella lingua di chi ha
colonizzato il mio popolo. E cosí lo so, che la
cosa piú difficile è usare parole e modi che sono appartenuti storicamente e statisticamen-
te agli uomini per contribuire a disegnare un
mondo che sia anche a forma e contenuto di
donna. È difficile risemantizzare – verbo utilizzato a questo proposito e direi incarnato
dalla scrittrice Michela Murgia –, risemantizzare parole e modi.

Ma torniamo all'immaginazione, anzi, alla sua mancanza. Non mi interessa il video
di Matteo Salvini con le cuffie alla consolle
del Papeete (4 agosto 2019), non mi interessa
la foto di Luigi Di Maio che gioca col bikini
della fidanzata o che la bacia («Diva e Donna», agosto 2019), non mi interessa sapere
dove e come Carlo Calenda fa il bagno (profilo Twitter di Carlo Calenda, 26 febbraio
2019), non mi interessa Giorgia Meloni che
si appropria dell'italianità di Leonardo da
Vinci (campagna elettorale in Toscana, maggio 2019) e nemmeno Matteo Renzi che, ricordando Spadolini, scrive: è stato «soprattutto» un grande fiorentino (profilo Twitter
di Matteo Renzi, 4 agosto 2019, anche se,

essendo una provinciale di Scauri, il campanilismo lo esercito ogni volta che vedo Formia). Non nutro curiosità per le predilezioni sessuali dei politici. Durante la conferenza stampa di introduzione alla Fase 2 (3 maggio 2020) è stata pronunciata, riguardo la possibilità di incontrare altri esseri umani (oltre gli eventuali conviventi), la parola «congiunti», e io – come tutti – mi sono sentita sottoposta a una radiografia sentimentale, e talvolta affettiva, morale del mio privato.

Una democrazia nella quale i rappresentanti eletti o i leader politici esibiscono il privato, la sfera sentimentale o emotiva mentre sono nel pieno delle loro funzioni (o lo fanno supporre) è una democrazia che trova possibile legiferare sulla vita privata e sulla sfera emotiva dei cittadini.

Non è questa la democrazia disegnata dalla Costituzione. Abbiamo ancora sbagliato a svolgere l'esercizio, non è questa la reciprocità della democrazia. Non penso che tutto ciò debba far parte del dibattito politico, o delle conferenze stampa di introduzione ai DPCM, i decreti del presidente del Consiglio dei ministri per l'emergenza Covid-19. Le voci fuori campo di Deleuze e Guattari sussurrano: non ci manca la comunicazione, al contrario, ne abbiamo anche troppa, ci manca la creatività, la resistenza al presente. E mi coglie tristezza infinita perché capisco che queste comunicazioni non solo non contribuiscono al dibattito, ma lo impediscono. E so che io – come tutti – ho bisogno di risposte ai problemi, non di minacce, ho bisogno, come il critico gastronomico del cartone animato *Ratatouille*, di un po' di prospettiva. Perché la fiducia è l'unica vera resistenza al presente, la fiducia è creativa. E per averla bisogna avere idee e dismettere i miti di morte (fine della storia, fine del futuro, fine del mondo), e tentare approssimazioni. Ma per farlo abbiamo bisogno di cittadini piú che di leader. La sinistra – quella nelle cui idee sono cresciuta –, prima di tutto, ha bisogno di cittadini e non di leader. I leader sono troppo fotografati e fidanzati e non hanno intenzione di resistere al presente. E certi giorni provo un rimpianto agro per i politici della Prima e della Seconda Repubblica, anche di partiti professanti idee differenti e opposte alla mia, un rimpianto agro per uomini e donne che accettavano, svolgendo l'esercizio della democrazia, di essere giudicati per il ruolo ricoperto e non per la simpatia o l'odio personale.

Sulla pagina Facebook delle frasi di Osho vedo, all'indomani della morte di Gianni De Michelis (11 maggio 2019), una sua foto di tre quarti, occhio intelligente e veloce, sotto la quale leggo: «Ve mancamo eh?» e sospiro, sentendomi in colpa ma anche in diritto, un ossimoro insomma: sí, mi mancate.

Essere cittadino sembra piú noioso di essere leader. Però noia, come fatica, è un termine relegato al vocabolario letterario, soprattutto, novecentesco e che viene utilizzato ormai solo come spauracchio per i genitori costretti a intrattenere i figli prima di tutto. Intrattenere prima che formare. Intrattenere. Altrimenti si annoiano. Invece il tempo va occupato tutto, tutto il tempo di tutti, *manu militari*, se serve. Io non credo all'intrattenimento dei bambini. E nemmeno alla letteratura d'intrattenimento. Io penso che l'unica difesa dalla dittatura dell'intrattenimento sia la lettura. Pensate alle intersezioni metodologiche tra urgenza e intrattenimento. Il lettore, come chi studia matematica e in generale chi studia, è capace di stare da solo. Chi sta da solo è politicamente complesso perché non deve essere intrattenuto. Chi sta da solo si intrattiene da solo, con i

propri modi e i propri tempi, sfugge alla dittatura. La dittatura dell'intrattenimento è
un'altra forma di negazione del tempo (come
prigionia, tortura, persecuzione).

Al male, inoltre, da un punto di vista matematico, si può dare un'interpretazione che ne
scoraggia la scelta. Almeno per coloro che in-
tendono avvalersi della facoltà di comprendere
ciò che hanno intorno. Abbiamo intuito – poi
per capirlo bisognerà esercitarlo – che non esistono conoscenze certe e possiamo dedurne
che l'unica certezza, procedurale, che posse-
diamo è che non si possono provare le teorie
matematiche ma si può provarne la falsità, e
che, ciò nonostante, non tutti i dubbi hanno
la medesima natura: quelli che sorgono dalla
poca conoscenza delle regole del sistema non
sono come quelli che nascono giocando con
le regole del sistema.

Che cosa fa il male? Il male uccide, froda,
brucia, distrugge, fine del tempo. Se non fa-
cesse questo, lo chiameremmo altrimenti.
Dunque, noi sappiamo sempre come finisce
il male.

Che cosa fa il bene? Non è facile risponde-
re. Perché, d'abbrivo, il bene, e infatti cosí
lo definiamo, porta lietezza, gioia, felicità,

costruzione, futuro. Però potrebbe anche mar-
cire, deviare, seccarsi. Il bene, tra le sue mille
caratteristiche, ha anche quella di diventare
male. Dunque, il bene, anche dal solo punto
di vista del racconto, è piú interessante del
male, perché offre un ventaglio piú ampio di
possibilità. Qual è allora la vera seduzione
del male? Dal punto di vista logico-formale,
la stessa della dittatura. Non ha intermedia-
zioni, non ha interpretazioni, è deterministi-
co. Il dittatore comanda e opprime e il male uccide e opprime. Possono farlo in modi
elaborati, fantasiosi addirittura, ma la fine è
nota. Non hanno un interesse speculativo o
di ricerca, o cosí mi sono sempre sembrati. Si
potrebbe pensare alla redenzione. Ma il re-
dento non diventa una persona normale, diventa un santo, un martire, un intransigente,
o Jean Valjean.

   Essere buoni o esercitare la democrazia è
piú complesso, è un percorso di interpretazioni, contrattazioni e indecisioni. La bontà, la
matematica e la democrazia sono fenomeni
che contengono in sé le relazioni e tutte le
complicazioni a esse annesse. È vero, la democrazia, come il bene, come tutte le cose del
mondo che non si sa come finiscono, è solo
probabile. Tuttavia queste probabilità, que-

ste azioni democratiche, queste indecisioni tendono a convergere verso la coscienza che nessuno vuole essere ucciso o oppresso. La convergenza però, anche in matematica, può essere lentissima e soprattutto può realizzarsi in un tempo infinito. La difficoltà e il compito della politica sono tentare di far convergere le conoscenze verso il bene collettivo e l'equità sociale in un tempo utile, umano.

Una questione di rappresentazione del tempo e una tragedia semantica (Butman)

Vorrei continuare a pensare ai pipistrelli come ai fratelli di Batman. E invece non riesco piú a figurarmeli se non come cibo. Commestibili, pregiati, pipistrelli deliziosi nei mercati della Cina che vengono venduti e mangiati e che, tra questi due verbi, come in un angolo, appesi a testa in giú, diffondono un virus che ci infetterà tutti. Anzi, che ci ha già infettato. La prima sorpresa del mese di marzo 2020 riguarda dunque la mia immaginazione. Quando penso ai pipistrelli, li penso cotti. È possibile, mi chiedo camminando intorno al tavolo, che un supereroe come Batman – non un vero supereroe, per carità, è solo ricco, il suo superpotere sono i soldi –, che il supereroe del capitalismo e dell'orfanità debba vedere associata la propria fortuna e la propria immagine a un piatto tipico? D'altronde, come diceva Benjamin e io sono d'accordo, il capitalismo non ha giorni di festa e non ha santi.

Ma di certo – mi dispiace che Benjamin non abbia saputo di Batman, o forse sí, tra la nascita di Batman e la morte di Benjamin passa circa un anno – il capitalismo ha un supereroe. Ci rifletto adesso ma è naturale che lo abbia, il fine dichiarato del capitalismo è lo stesso del supereroe: il benessere (profitto da un lato, giustizia dall'altro). D'altronde i soldi sono immateriali quanto i sogni, ma al contrario dei sogni (e al netto dell'interpretazione freudiana da ripensare come sintassi) hanno una grammatica di monete, derivati, titoli di credito possenti e affidabili, creativi, favolistici. Dunque è giusto che Batman diventi un arrosto di pipistrello, proprio adesso che il capitalismo mostra le sue pecche e vede intaccata l'ultima risorsa naturale disponibile e a costo di produzione quasi zero: noi.

Vorrei tanto assaporare il gusto di Batman ma non riesco a trovare pipistrelli, nemmeno quelli nostrani che mi ispirano simpatia perché, oltre a rimanere impigliati nei capelli, mangiano le zanzare. E io odio le zanzare. Non trovo pipistrelli e cosí mordo il bat-segnale che uso per mouse-pad. Che usavo. Perché ormai i mouse-pad sono obsoleti, passati di moda. Ma non voglio parlare del mouse-pad che, comunque, non è commestibile, vorrei dire che nel futuro cambieranno le cose che sono già cambiate. Anche se il futuro sembra lontanissimo. Se fossi riuscita a rimanere una bambina, non mi sarebbe importato, il passato sarebbe stato «qualche giorno fa» e il futuro «tra qualche giorno», e invece adesso conto. I conteggi sono sempre spaventosi. Come gli elenchi. Che, come ho detto all'inizio, non hanno niente a che fare con la vita (negli elenchi, il tempo non passa). Tuttavia, vale la pena ricordare che nei catasti neoassiri venivano elencati i bambini misurati a palmi per stimare il numero di contadini adulti disponibili entro un certo numero di anni. Una forma di immaginazione e progettazione che ci è drammaticamente estranea. Pensate alla scuola, senza progetti, se non tecnocratici, dei decreti dell'emergenza. Ma non voglio parlare di elenchi, vorrei dire del futuro e che ci sono almeno due modi intuitivi per rappresentarlo.

Il solito. Piano cartesiano, tempo sull'asse delle ascisse, spazio sull'asse delle ordinate. Il tempo scorre e lo spazio cambia tracciando un grafico, un tragitto. Guardandolo però mi rendo conto che questo ora non ha senso, perché siamo tutti fissi nello spazio. Siamo Batman senza bat-segnale, fermi dentro casa. Quindi, sempre piano cartesiano, ma spazio

sull'asse delle ascisse e tempo sull'asse delle
ordinate. Poiché siamo fermi, il tempo si accumula, in verticale. Siamo bloccati, ciascuno nella propria casa, sotto diversi livelli di
presente. Quando il tempo si accumula, non
passa, perciò certe volte, durante il giorno e
nonostante la luce, non so che ora è. Il tempo
mi sovrasta, e tutto il futuro diventa presente.
Una torre di presente. Motivo per cui credo
che cambierà ciò che è già cambiato. Quando il futuro riprenderà, non so come, avremo
da smaltire moltissimo presente. Il presente
indicativo dello stare al mondo.

Abbandonare l'idea di Batman supereroe
per passare alla realtà di Batman cucinato può
essere un azzardo. Tuttavia, bisogna conside-
rare l'occasione. O quantomeno la rivelazione.
A quarantadue anni compiuti pensavo la mia
vita soddisfacentemente instradata su binari
di cui potevo intuire percorsi e orizzonte. E
che le mie avventure sarebbero state essenzialmente interiori. E invece non è piú cosí.
Non che i binari si siano spostati, ma c'è la
possibilità che si spostino. Non che i cambia-
menti mi piacciano. Non mi sono mai piaciu-
ti. A dieci anni, il maestro ci aveva chiesto di
raccontare in un tema cos'era cambiato dopo

l'estate, e io avevo scritto – lo so perché mia
madre ha conservato quelle righe nel libro di
sughero delle cose importanti: poiché la morte
è il piú grande cambiamento che possa sov-
venire all'uomo, spero che dopo l'estate non
sia cambiato proprio niente. Non c'è nulla
di davvero strano in questo tema, i bambini
parlano spesso di morte, e uccidono mosche,
lucertole, zanzare.

A ogni modo, nonostante non ami i cam-
biamenti, mi piacciono le possibilità. E questo
improvviso, drammatico virus ne ha aperte.
O forse penso tutto ciò perché ho studiato
molti anni matematica e so bene – sapere come ricordare – che l'esistenza delle soluzioni
dipende dall'insieme nel quale ci si muove. E
dunque, essendo cambiato l'insieme nel quale ci muoviamo, non possiamo avere le stesse soluzioni agli stessi problemi. Potrebbero
anche non esistere soluzioni, ma per natura
non mi piace pensarlo. Abbiamo la possibilità di ragionare con tutto il corpo, ciascuno
col proprio e come corpo collettivo.

Non penso che il virus si combatta con i
libri, ma so che se Primo Levi ha raccontato
nella *Tregua* di essere sopravvissuto alla disu-
manizzazione grazie a gesti comuni che ap-

partenevano alla vita di prima, come lavarsi e farsi la barba pur avendo a disposizione solo acqua sporca, allora io – come tutti – posso accettare di seguire le regole diffuse da medici e ricercatori, le pratiche per evitare il contagio e rallentarlo. Nei libri non c'è la soluzione ma ci sono altri modi di vita, nel tempo e nello spazio. Avventure non solo interiori. E pensare che il proprio modo di vita e di consumo non sia l'unico può essere un principio di soluzione. Nei modelli matematici di diffusione delle epidemie e, in generale, quando si parla di soluzione, come dicevo prima, si valutano le condizioni al contorno. La soluzione non esiste in sé, ma dipende dalle condizioni al contorno. Valutare le condizioni al contorno significa capire le caratteristiche dell'insieme, del mondo, in cui agiamo. In base a quelle caratteristiche una stessa equazione può ammettere o non ammettere soluzione. Primo Levi ha raccontato come si è salvato da un flagello esterno grazie a una prassi. Ha avuto anche fortuna, ma certo aveva una prassi.

Cosí continuo a lavarmi le mani. Eppure, dopo settimane di strenuo, compito, e necessario lavaggio di mani, mi sento Lady Macbeth. Nel caso della signora, lo strofinarsi le mani era dovuto a una indelebile macchia di sangue causata da una indelebile colpa. Ma nel mio caso da dove viene? Sono una donna occidentale bianca nata alla fine degli anni Settanta del Novecento. Probabilmente, dal punto di vista sociale, assomiglio piú ai nonni che ai genitori. Nati all'inizio degli anni Cinquanta del Novecento, i miei genitori hanno fatto parte della generazione che ha lottato e ottenuto divorzio, assistenza sanitaria, ammortizzatori sociali. Io lavoro con partita Iva e ho il minimo di tutto ciò, quando ce l'ho; per me la parola «ferie» e la parola «tredicesima» sono come la domanda che Lady Violet, interpretata da Maggie Smith, pronuncia in *Downton Abbey*: «What is a weekend?»

I miei nonni, nati nel primo decennio del Novecento, avevano esperienza diretta (o quasi) dell'influenza spagnola e del tifo, e vivevano in un sistema sanitario precario. Io ho già visto Hiv, Ebola, influenza aviaria e adesso il Covid-19 e mi ritrovo in un sistema pubblico sanitario eccellente che tuttavia non può risolvere tutto. In Italia, stiamo chiedendo al nostro sistema sanitario ciò che abbiamo chiesto, a partire dalla fine degli anni Novanta, alla scuola pubblica: sopperire all'educazione sentimentale ottenuta grazie e nonostante la famiglia, ai pomeriggi organizzati dalla chiesa, dai partiti politici o dal sindacato. E non lo chiediamo all'istituzione che è acefala, ma ai medici (talvolta senza mascherina), come lo abbiamo chiesto ai professori. Deve cambiare qualcosa dentro di noi. Noi siamo il sistema sanitario, ciascuno di noi. Io sono il sistema sanitario nazionale, io sono l'istruzione pubblica. È piú difficile di essere Batman?

Voglio sottolineare che l'eccezione, favolosa e razionalista, di organizzare il sociale e ammortizzare le difficoltà economiche dei cittadini è durata qualche generazione. Prima e dopo – i miei nonni e me – per motivi differenti, non ci sono che incertezza e soluzioni la cui vasta e giusta accessibilità non può che far apparire, in un momento come questo, insufficienti. Ma non è cosí, possono di certo essere migliorate, e io, al contrario di mio nonno, non rischio di morire di morbillo. Questo devo ricordarmelo perché la vita è segnata continuamente da incidenti e accidenti che la rendono, come le fortune e le occasioni, cosí come è. Il significato di questa composizione di vuoti e pieni è imporci di valutare gli accidenti, anche il Covid-19, non solo dal punto di vista sanitario ma anche da un punto di vista culturale.

Sulle mie mani cerco dunque la macchia e la trovo. Sarà per Batman eroe del capitalismo, sarà perché sono ferma a pensare sotto una torre di presente. La macchia viene dalla rivoluzione industriale di cui non mi sono accorta perché ho pensato fosse la realtà. Immutabile, stabilita. La sovrapproduzione è una rivoluzione industriale e non esistono rivoluzioni industriali che non mietano vittime (voce fuori campo di Anna Nadotti, traduttrice). Godere della sovrapproduzione, disinteressarsi della stagionalità delle verdure, della provenienza di pesce e carne, pensare che la sete di conoscenza e l'aver studiato diano il diritto a viaggi low cost sottovalutando l'impatto ambientale è stato macchiarsi di una colpa che ha lasciato segni indelebili sulle mani? E non ho imparato nulla, se voglio mangiare Batman. O forse ho imparato ma non ho capito. O forse ho capito ma non ho imparato. Galleggio tra i ma, *but* come scrivono gli angloparlanti. *Butman* penso. *Butman*. Se lascio Batman mi rimane Butman, l'avventura delle avversative. L'avversativa, in principio di periodo, indica in italiano passaggio ad altro argomento. Ma. *But*. Il passaggio di argomento riguarda per esempio il fatto che se compro un trancio di salmone e lo vedo rosa – e mi dico: oh che bello –, devo pensare che è probabilmente un colore indotto perché probabilmente quel salmone non è stato pescato. Quel colore probabilmente dipende da una sostanza che si chiama cantaxantina. Bel nome, per altro.

Succederà domani, quello che è già successo oggi. Le cose accadono quando le accettiamo, e le accettiamo o non le accettiamo, quando ci riguardano. Accetteremo che le nostre libertà personali valgano quanto quelle della nostra comunità. Che a qualsiasi ordine di grandezza – singolo essere umano, condominio, quartiere, città, nazione, mondo – il valore delle libertà individuali sia pari a quello delle comunità.

Penso ai frattali. Figure geometriche caratterizzate dal ripetersi all'infinito di uno stesso motivo su scala sempre piú ridotta. Un frattale è un insieme che gode della proprietà di autosimilitudine, è cioè unione di un numero di parti che, ingrandite di un certo fattore, lo riproducono tutto: è, in breve, un'unione di copie di se stesso a scale differenti. La struttura di un frattale è fine, rivela cioè dettagli a ogni ingrandimento, non è quindi possibile definire in maniera netta e assoluta i bordi dell'insieme. L'insieme dei nostri errori è frattale. Dal mio mangiare il salmone e voler assaggiare Batman, all'iperproduzione. Se l'insieme degli errori e dei sentimenti umani è frattale, può esserlo anche quello delle nostre libertà? E se lo è quello delle nostre libertà, può esserlo anche quello delle economie?

Comprenderemo, adesso che ne abbiamo l'occasione, la necessità di appianare i dislivelli economici tra persona e persona, tra parte di mondo e parte di mondo?

Io intanto passo a Butman, il supereroe delle avversative, e dunque, forse, delle alternative.

Categorie e generi. Corollario

Un'ultima cosa sulle donne e sugli uomini. Aver studiato matematica e lavorare in un ambiente letterario e culturale che ritiene, come quasi il resto del mondo, la matematica una disciplina per illuminati, predisposti e geni, mi ha facilitato la vita. Come donna inoltre, ho avuto un trattamento diverso da altre donne che lavorano in questo stesso ambiente perché, avendo fatto matematica, è indubbio che sia almeno intelligente. Altre donne che fanno il mio stesso mestiere hanno dovuto dimostrare o rivendicare, volta per volta, di essere intelligenti. A me, è stato risparmiato. Il mio essere donna è stato dunque tollerato grazie ad anni passati ad appiattirmi le terga in una biblioteca, studiando matematica. Se non avessi studiato matematica, d'altronde, una situazione di tale privilegio avrebbe potuto indurmi alla mollezza e alla cialtroneria, invece, avendola studiata per tredici lunghi anni ho acquisito l'abitudine che obbliga alla critica e a cercare, quando è impossibile capirla da sola, di parlare con altri che abbiano la medesima attitudine – non bisogna aver studiato matematica per avere questa tensione – e provare a capire insieme. Tuttavia, a causa di questa leggerezza, facilità e accettazione negli ambienti culturali nei quali via via entravo per lavorare e parlare, non mi sono resa conto subito, e ho talvolta colpevolmente ignorato la disparità di trattamento tra donne e uomini. Non di tutto si può capire tutto, ma di tutto si può capire almeno un poco, e si può limitare il problema. La matematica è la ginnastica posturale del cervello. Non tutti hanno bisogno di fare ginnastica per tenere le spalle dritte, ma se fai ginnastica posturale è plausibile che le spalle rimangano dritte anche col passare del tempo. Per questo, anche in chiusura di testo, voglio ribadire che avere una postura etica, sentirsi sempre unico e sapere che altrettanto unici sono gli altri è importante, e che la matematica aiuta.

C'è chi insegna
guidando gli altri come cavalli
passo per passo:
forse c'è chi si sente soddisfatto
cosí guidato.

[...]

C'è pure chi educa, senza nascondere
l'assurdo ch'è nel mondo, aperto ad ogni
sviluppo ma cercando
d'essere franco all'altro come a sé,
sognando gli altri come ora non sono:
ciascuno cresce solo se sognato.

DANILO DOLCI

In epigrafe, Tommaso Pincio, *Lo spazio sfinito* (2000), minimum fax, Roma 2010, p. 46. La poesia a p. 101 di Danilo Dolci è apparsa per la prima volta in *Il limone lunare*, Laterza, Bari 1970, poi ripresa nella raccolta *Poema umano*, Einaudi, Torino 1974, ora ripubblicata da Mesogea, Messina 2016, p. 112.

Avvertenza e ringraziamenti.

Ho poche idee, ma fisse. Alcune, prima di essere qui scritte, le ho dette pubblicamente, altre le ho pensate per i giornali e i settimanali con i quali negli anni ho collaborato. *Butman* è il titolo dell'intervento che ho scritto il 4 aprile, in pieno lockdown, quando Guadalupe Nettel (i suoi libri sono pubblicati in italiano da Einaudi e La Nuova Frontiera e tradotti da Federica Niola) mi ha chiesto di partecipare al progetto dell'Università di Città del Messico (https://www.revistadelauniversidad.mx/articles/eacc2c3c-0fb4-4bdb-9522-29a0c1222758/butman). Dopo tanti anni di assenza da scuola e università, ho ripreso «Studiare non serve, studiare comanda» quando Serena Dandini mi ha invitato a riflettere su lettura e scuola pubblica per il suo programma *Stati Generali*, nella puntata andata in onda il 28 novembre 2019 su Rai 3. L'ossessione dei conteggi si è sviluppata e parte da *Almanacco del giorno prima* (Einaudi, 2014). Vorrei menzionare, fra tutti, due giornali, «L'Espresso» di Marco Damilano che mi sembra, ogni settimana di piú, ciò che si può leggere per maturare strumenti di resistenza al presente, e «l'Unità», negli anni in cui l'ha diretta Concita De Gregorio che mi ha dato l'occasione (la fiducia e il sostegno) di applicare letture e osservazioni non solo alla critica letteraria, ma alla cronaca politica e culturale, e dunque di osservare piú attentamente.

Ringrazio i festival, i blog, le piattaforme web che hanno sostenuto un mondo di presentazioni durante i primi mesi del coronacene, e gli editori per continuare a creare e presidiare spazi di mediazione. Ringrazio Marta Caramelli, che prima su «Vanity Fair», poi su «Glamour», poi ancora su «Vanity Fair», mi ha guidato in una selva di rossetti, profumi, depilazioni e creme spingendomi a guardare oltre. Ringrazio le scuole e le università pubbliche dove ho potuto studiare e insegnare. Ringrazio la Radio3 di Marino Sinibaldi e, in particolare, la redazione di Radio3 Scienza del settembre 2008, quando ho cominciato a lavorare in via Asiago, Rossella Panarese (che mi ha chiamato lí), Marco Motta, Silvia Bencivelli e Costanza Confessore: sono loro ad avermi mostrato con una leggerezza che ancora oggi mi seduce, la possibilità, studiando e limando, di parlare di cose minute, specialistiche e complicatissime, senza travisare e senza che la chiarezza sia semplificazione.

Anche in questo libro, come in altri, le citazioni sono quasi tutte a memoria, dunque sono